社会を変えた 50人の 女性アーティストたち

著：レイチェル・イグノトフスキー　訳：野中モモ

WOMEN IN ART

創元社

日本版によせて

この本では、優れた「アーティスト」として歴史上たいへんな仕事を成し遂げてきた古今東西の女性たちにスポットライトが当てられています。アーティストとは、すなわち「アートを創り出す人」のこと。それでは、「アート」とはいったい何でしょう？　あなたは「アート」と聞いて、どんなものを思い浮かべますか？

英語の「アート」にあたる日本語としていちばんよく使われているのは、「美術」または「芸術」です。しかし、もともとアートという言葉には、そこには収まりきらない、さらに大きな意味が含まれています。絵画や彫刻といった視覚芸術に加えて、目には見えないアイデアを伝えるアートもありますし、文芸や工芸や音楽だってアートです。もっと広く人文科学の学問、それに技術や手腕、芸といったものも、英語ではアートと呼ばれます。また、アートは自然に対して「人工的なもの」を指す言葉でもあります。

カタカナで書かれて日本語の一部になるうちに英語で言う場合とはちょっと違った印象を与えるようになった「アート」ですが、もとは長い歴史に連なる人々の営みを思い起こさせる言葉であり、深く大きな広がりを持っているのです。つまり、アートはあたりまえに私たちみんなと共にあるもの。美術館や大学や芸術祭や美術品市場などからなる現代の「アート界」、また、そこで綴られてきた「美術史」は、アートのごく一部でしかありません。

アメリカ合衆国で生まれ育ったこの本の著者レイチェル・イグノトフスキーが、ここで画家や彫刻家といったいわゆる「芸術家」だけでなく、デザイナーや建築家、音楽家、映画監督など、さまざまな分野の女性たちを取り上げているのも、そうした考えかたのあらわれといえるでしょう。既刊『世界を変えた50人の女性科学者たち』『歴史を変えた50人の女性アスリートたち』に続き、彼女は今回も親しみやすいイラストと文章で、創意工夫あふれる女性たちの胸おどる活躍を紹介してくれます。

これまで世界史の「主な登場人物」として記録に残されてきた名前は、圧倒的に男性多数でした。美術史において「巨匠」と讃えられるアーティストも然りです。これは歴史において大きな権力を握り、何に価値があるのかを決める立場に就いていたのが、男性（特に上流階級に属する健常者の白人男性）に偏っており、女性が家庭の外で活動することが難しい社会構造が存在していたからでしょう。この本の女性たちは、そうした逆境にあっても表現することを諦めなかった時代の先駆者です。より平等な、みんなが生きやすい社会を実現するために、彼女たちから学ぶべきことがたくさんあります。世の中の動向を敏感に察知しながら自分と向き合い手を動かした彼女たちの作品と人生は、時を超えて私たちの心を動かします。これこそがアートの持つ大きな力の例だといえるのではないでしょうか。

この本があなたの好奇心と創作意欲を奮い立たせ、さまざまな時代、さまざまな土地、さまざまな文化に生きてきた人々と通じ合うよう応援する一冊となることを、訳者として心から願っています。

――野中モモ

目次

はじめに

私は美を創り出す！

アートは単なるきれいなだけのものではありません——アートには大きな力があるのです！　私たちの身の周りのものは何でも、あなたが気づいていようといまいと、アーティストの手から生まれています。あなたの住んでいる家、着ているシャツの柄、街角の広告——すべてアーティストが何かを心に思い描くところから生み出されているのです。自分たちを創造的に表現する能力こそが人間を特別な存在にしていると考える人は少なくありません。先史時代の洞窟画の昔から、男性も女性もアートを作り続けてきました。にもかかわらず、これまでの歴史を通じて、女性たちは人類の創造的表現の物語から締め出されてきました。この本の女性たちは、作品が人目に触れ、真剣に受け取られ、高く評価されるまでに、性差別や階級差別や人種差別と闘わなければならなかったのです。

アートは私たちの文化を広め、私たちが普通であると考えていることをその通りと認めもするし、逆にそれに立ち向かいもします。これまでの歴史で、世界中の有力者たちが、自分たちの物語が望む通りに語られるようアーティストを雇ってきました。巨万の富を投じて自分たちの姿を完璧に描かせたルネッサンス時代の王族から、何百万ドルもの広告費を投じて自社の商品を売る今日の大企業まで、アートは大衆に明快なメッセージを伝えるために使われる手段となっているのです。

もし人々がアートの力をその手に取り戻したら何が起こるでしょう？　この本の女性たちの多くは、真実を語り、不正を告発し、見過ごされている人々に光を当てることに自らの才能を使ってきました。なぜなら、そこから新しい考えかたが広がり、世界がよい方向へと変わりはじめることができるからです。

アートはヒーローたちを讃え、力を与えるためにも使われてきました。アメリカで人種分離がおこなわれていた時代、エリザベス・キャトレットは、人種差別的な方針が存在していたせいで大学への入学を認められませんでした。しかしエリザベスは黒人を祝福するアートを作ろうと決意し、美しさと強さをたたえた黒人たちの姿を描写しました。今日、マーティン・ルーサー・キング Jr. やハリエット・タブマンといった黒人の指導者たちを表現した彼女の作品は、世界中の美術館で展示されています。

私は何か新しいものを作るね！

私は私の物語を語る！

私は真実を
伝えよう!

アートは真実を白日の下に晒し、私たちに共有された歴史を語ります。1944年、第二次世界大戦において連合国がヨーロッパに進軍した際、リー・ミラーは最前線にいた唯一の女性写真家でした。彼女はホロコーストの恐怖をいちはやく記録した写真家のひとりです。強制収容所の存在を否定する人々が現れましたが、リーの写真は世界を真実に向き合わせたのです。

アートは象徴的な人物に加えて、人々の声を生み出します。フリーダ・カーロは存命中には十分に理解されていませんでしたが、遺された作品自体が強い力となりました。彼女はこの世を去ってから10年の時が流れた1970年代に再発見され、以後、世界中の主要な美術館で作品が展示されています。何十点もの自画像を通して、人々はフリーダの喜び、痛み、希望、怖れを目にしたのです。人々は、堂々として西洋の美の基準に従わず、メキシコの伝統を誇り高く祝福する女性の姿も目にしました。彼女の絵画は現代のファッション、音楽、映画に影響を与えました。フリーダはフェミニズムの呼び声になったのです。

そして、おそらく最も重要なことは、アートには人を癒やす力があるということです。マヤ・リンは21歳の学生だった頃にヴェトナム戦争戦没者慰霊碑をデザインし、新しいかたちの記念碑を作ってみせました。伝統的な国旗がはためく記念碑ではなく、マヤはシンプルな壁に亡くなった人々の名前を刻んだデザインを考案しました。この記念碑はアメリカ合衆国が敗戦と政治的対立に引き裂かれていた時期に公開されましたが、たくさんの人々を集め、それぞれが自分なりのやりかたで追悼することを促したのです。アートを使って、人間性を介して人と人とがつながり合える空間を生み出すこともできるのです。

筆を執り、彫刻刀を振り、線を引き、これらの女性たちはやり抜きました。さあ、彼女たちのアートと物語を讃え、その仕事が私たちの人生にどんな影響を与えたかを理解しましょう。アートはただ美しいだけではありません——それは私たちの世界を反映していると同時に、未来を作っているのです。

私は
ずっと残るものを
築きたい!

私は情熱のままに
進もう!

歴史年表

これまでの歴史を通じて、女性たちはアートを創作することで自分を表現してきました。男性と同等の教育や訓練や後援を受けられなかったにもかかわらず、女性アーティストたちは世界に影響を与えてきたのです。さあ、美術史における女性たちの重要な偉業を讃えましょう！

紀元前2万5000年

現存する最古の洞窟画および彫刻はこの時代のもの。洞窟画の4分の3には手型が残されており、考古学者たちはこれらが女性によって作られたものと信じている。

紀元前300年代

古代ギリシャ文明の陶器の窯元では女性も男性に並んで働いていた。エジプトのヘレナなどの女性たちが、偉大な画家およびモザイクアーティストとして記録されている。

1399年

クリスティーヌ・ド・ピザンが彼女の初のフェミニズム作品『愛の神への手紙』を書いた。彼女の装飾写本と詩は西洋世界最古のフェミニズム文芸作品とみなされている。

1876年

メアリー・エドモニア・ルイスがアフリカ系アメリカ人彫刻家として初めて国際的な評価を獲得。彼女の作品はフィラデルフィア万国博覧会で展示された。

1964年

公民権法の制定より、アメリカ合衆国におけるさまざまなかたちの差別が違法とされ、学校や職場での人種分離は終わりを迎えた。こうしてアフリカ系アメリカ人に、より平等な機会がもたらされるようになった。

1987年

ワシントンDCに国立女性美術館（アメリカ合衆国）が開館。

紀元1000年代

中世のヨーロッパで正規の教育を受けられた女性は修道女たちだけだった。修道士と修道女は共に装飾写本や宗教的な品の数々を制作した。

1088年

ボローニャ大学が創立された。12世紀にはやくも女性が高等教育に参加することを認めた大学のひとつである。同校が正式に女性たちに扉を開いたのは18世紀だ。

1920年

憲法修正第19条の制定によりアメリカ合衆国の女性たちが選挙権を獲得。

1942年

テルマ・ジョンソン・ストリートが、「ラビット・マン」（1941）により、ニューヨーク近代美術館に作品を購入された初のアフリカ系アメリカ人女性アーティストとなった。

2001年

画家フリーダ・カーロがラテン系女性として初めてアメリカ合衆国郵政公社の切手の図案になった。

現在

次の偉大なアーティストはあなたかも！

詩と絵画を組み合わせた

中国史における最も有名な女性画家のひとり

その見事な手腕によって「魏の貴婦人」の称号を獲得

「後世の人々は我が治世に優れた女性書家がいたというだけでなく、その一族全員が書をたしなんでいたことを知るだろう」
──管道昇に「千字文」を書き写すよう依頼した元の仁宗皇帝

管道昇（グァン・ダオシェン）

詩人・画家（1262-1319）

1262年、中国の湖州市に生まれた管道昇は、中国の歴史においていちばんといえるほど有名な女性アーティストです。彼女は24歳で皇帝に仕える画家の趙孟頫と結婚し、夫が官僚としての仕事で国中を旅するのに付き添いました。この旅路で彼女は、当時の上流階級の女性たちには普通目にする機会のなかった中国の田園地帯を見ることができたのに加え、同時代の偉大な芸術家たちの作品に触れました。彼女はこれに感化され、1296年に絵を描きはじめました。彼女の作品は元の世に広く知られることとなりました。仁宗皇帝は管道昇に「千字文」（漢字の教科書および習字のお手本として使用される漢字の長詩）を書き写す仕事を与え、その作品を彼女の夫と息子による書とあわせて自慢しました。▼管道昇は竹の水墨画がお気に入りでした。当時、竹はたいていの場合「男性的な」画風で描かれており、中国の紳士の象徴として用いられ

彼女の絵「霧雨（きりさめ）の中の竹林」（1308）は今日の美術史の教科書にも載っている

ていました。当時の文化において竹は男らしさの象徴とされていたにもかかわらず、彼女はそれを自らの人生の物語を伝えるために使い、自作の詩を絵画作品に直接書き込みました。彼女が生み出したのは竹を近くに寄って描く有名な作風だけではありません。彼女はもっと大きな風景画にも竹を組み込み、奥行きと雰囲気のある作品を描いてみせました。彼女の作品はすぐに元の宮廷の女性たちのあいだで評判となり、頻繁に制作を依頼されるようになりました。管道昇はほとんどの芸術作品が男性の視点から作られていた時代にあって、他の女性たちのために作品を生み出した数少ない女性アーティストのひとりなのです。▼管道昇は生涯を通じて詩と絵画を組み合わせて自分を表現しました。彼女は55歳で病を患い、1319年に亡くなりました。夫は妻の死に胸を痛め、彼女に敬意を表して主に竹を描くようになりました。今日、彼女は中国美術のパイオニアとして記憶されています。

彼女の名声と技能は世界中で知られていた。14世紀ヨーロッパの写本にも彼女の作品についての記録がある

同時代のもうひとりの女性アーティスト、李（り）夫人は、月光の下で竹の影をなぞる、「女性的画風」で描いた

元（げん）の寺院のために仏教壁画を描いた

彼女は竹を自伝的な詩の象徴として使い、自分の子どもたちや夫、年齢を重ねるにあたっての気持ちなどについて語った

彼女の息子も優秀な書家だった

中世にはやくも女性の権利（りんり）について語る装飾写本を制作した

装飾（そうしょく）写本のアートディレクションを手掛（てが）けた

「もし少女たちを学校に通わせ、少年たちが教えられるのと同じ教科を教えるのが当然の慣習だったなら、彼女（かのじょ）たちは同じように学び、あらゆる芸術と科学の機微を理解したことでしょう」——クリスティーヌ・ド・ピザン、『女の都』

クリスティーヌ・ド・ピザン

装飾写本の著者・アートディレクター（1364-1430）

クリスティーヌ・ド・ピザンは1364年にイタリアに生まれました。父親がフランス宮廷の占星術師に任命されたため、クリスティーヌは幼くしてパリに渡りました。中世のフランスでは、ほとんどの女性は教育を受けられず、多くは12歳から15歳ぐらいの若さで結婚させられていました。なので、クリスティーヌが父親に読み書きを教えられたのは例外的なことだったのです。彼女は若き日々を宮廷の図書館で過ごし、本に恋しました。▼クリスティーヌは15歳になると貴族で学者のエチエンヌ・デュ・カステルと結婚しました。クリスティーヌは勉強を続け、夫も当時としては珍しく彼女がものを書くのを応援しました。エチエンヌが結婚10年で亡くなった時、クリスティーヌの選択肢はふたつでした。再婚するか、自分の才能を活かして3人の子どもを養うか。中世の社会では夫を失った女性が仕事をすることは受け入れられていたので、彼女は宮廷の人々に自分の書いた詩や散文を届けはじめました。また、他の人々の作品を文字にしたりイラストを描いたりする仕事も手掛けました。当時、文章に添えられるイラストは非常に重要でした。文章を読める人が限られていたからです。こうしたイラストたっぷりの本は装飾写本と呼ばれました。1393年には、彼女は亡き夫についての愛の詩で宮廷の人気者になっていました。大勢の貴族に加えバイエルンの女王すらも彼女の後援者となり、クリスティーヌは十分家族を養うことができました。▼クリスティーヌは政治と倫理と女性の強さについて書きはじめました。彼女の作品のうち最も重要かつ有名なものが、1405年に出版された『女の都』です。ここで彼女は、歴史を通じての女性の英雄性と、中世ヨーロッパで彼女たちが直面した抑圧について書いています。クリスティーヌはこの本で、女性たちがミソジニー（女性蔑視）を恐れることなく暮らすことができる女性だけのユートピア的な都市について説きました。▼クリスティーヌは装飾写本のあらゆる制作過程に直接関わることができた数少ない著者のひとりでした。彼女は自分の本のイラストを誰が描くかを選び、細部に至るまで意見を通しました。その人生を通じて、彼女は41の作品をプロデュースし、名を上げて尊敬を集めました。1418年に彼女はパリの近くの女子修道院に入り、隠居しました。1429年、彼女はそこで生涯最後の詩『ジャンヌ・ダルク讃』を刊行しました。

アナスタシアという名の女性イラストレーターと共作した

装飾写本のページは金箔で飾られており、富裕層のためのぜいたく品だった

1404年、『賢明王シャルル5世の偉業と高潔』と題した伝記を書いた

当時の男性作家たちの多くは女性を「誘惑者」として性差別的に描写していた。クリスティーヌは『薔薇のことば』（1402）を書いてこれに反論した

『女の都』の挿絵には、公正、理性、正義を象徴する3人の女性が新しい都市を築くのをクリスティーヌが手伝う様子が描かれている

歴史的・神話的絵画の
制作を依頼された

ヌード絵画の制作を依頼された
初の女性とみられている

教皇公邸の公式画家だった

「フォンターナは宮廷や修道院の外で、同時代の男性アーティストたちと対等に仕事をした初の女性アーティストとみなされ
ている」——国立女性美術館（アメリカ合衆国）

ラヴィニア・フォンターナ

画家（1552-1614）

ラヴィニア・フォンターナは1552年、ルネッサンス時代のイタリアのボローニャに生まれました。それはヨーロッパ文化にとって大転換の時期でしたが、それでもなお人々の多くはまだ女性が教育を受けるのは危険だと考えていました。女性は正式にアーティストに弟子入りすることもヌードモデルを描いて腕を磨くことも許されていませんでした。にもかかわらず、ラヴィニアは諦めることなく、存命中にイタリアで最も重要かつ高額の報酬を受け取る画家のひとりとなりました。▼ラヴィニアの時代には、ちゃんとした美術教育を受けられた女性は家族にアーティストがいた人だけでした。ラヴィニアの父は立派な画家で、娘に自分の技能を伝授することにしました。ラヴィニアの才能はまだ若い頃からあきらかで、父親は彼女を自分の工房の跡継ぎにしようと決めたのです。ラヴィニアの修行時代、女性が本物のヌードモデルを観察して人体の描写を学ぶことは、はしたないことだと考えられていました。なので、彼女はヌード彫刻からきちんとした人体構造の描きかたを学びました。▼彼女はボローニャの上流階級の女性たちの肖像画を描きはじめました。これらの女性たちは自分の富を示そうと、肖像画のために最も高価な衣装を身に着けました。ラヴィニアの絵画は極めて詳細で、彼女たちの衣服のあらゆるビーズ、あらゆる真珠、そしてあらゆる複雑な模様とレースが描き込まれており、パトロンたちを感心させました。工房の主となった彼女の名声はイタリア中に響き渡りました。1603年、ラヴィニアは教皇クレメンス8世にローマへと招かれ、教皇のお抱え画家になりました。彼女は重要な歴史的および神話的題材を取り上げた絵画の制作を依頼されました。彼女は西欧世界ではじめて公式にヌード絵画の制作を請け負った女性としても知られています！　彼女は作品の題材や報酬など、あらゆる面において同時代の男性画家たちと対等で、女性も一流の重要な仕事ができることを証明したのです。▼ラヴィニアはそのキャリアを通じて途方もない数の仕事を手掛け、同時代で最も多作な女性アーティストのひとりとなりました。彼女の手によるものとわかっている肖像画は100点以上残されており、他にももっとあるのではないかとみられています。彼女は1614年に亡くなり、その偉業は他の女性アーティストたちがそれまでにない大きなスケールの作品を作れるようになる道筋を整えたのです。

ルネッサンス時代、人々は芸術的才能は神からの贈りものだと考えており、最もスケールの大きな芸術作品はカトリック教会のために、教会の後援によって作られていた

1580年にボローニャ大学で学位を取得した。他の学校とは異なり、そこでは当時から女性たちが学んでおり、18世紀に公式に入学が許可されるようになった

彼女の最大の絵画は、高さおよそ9mの壁画「聖ステファノの殉教」だ

夫のパオロ・ザッピ伯爵（はくしゃく）は当時としては珍しいことに彼女の工房で助手を務め、家庭を守るのを手伝った

1611年、彼女の栄誉を讃えて銅メダルが贈られた

短い生涯のあいだに200点を超える絵画を描いた

17世紀イタリアの一流のバロック画家

女性のための美術学校を設立

「あらゆる人が彼女を悼んだ。淑女たち、とりわけ肖像画で彼女に美しく描かれた者は冷静ではいられなかった。あれほど偉大なアーティストをこのように奇妙なかたちで失うのは大いなる不運だ」——彼女の死に寄せた市職員の言葉

エリザベッタ・シラーニ

画家・版画家（1638-1665）

エリザベッタ・シラーニは短命でしたが、その立派な業績によって伝説になりました。わずか10年のあいだに200点を超える絵画と数百点を超えるドローイングを制作し、すべてがバロック時代特有の非常に細密で劇的な画風で描かれていました。彼女は27歳の若さで亡くなりましたが、17世紀イタリアの最も偉大な画家のひとりに数えられています。▼エリザベッタは1638年、イタリアのボローニャで生まれました。彼女はまだ幼かった頃から、すばらしい芸術的才能を示していました。エリザベッタの父親で画家だったジョヴァンニ・アンドレア・シラーニは娘に絵を教え、彼女はすぐに技術とスピードで父を超えました。17歳の時にはもう高い値段で売れる見事な油絵を描いていました。彼女の絵は教会の枢機卿や王族、さらにはあの有名な富豪のメディチ家（ヨーロッパ最有力の芸術のパトロン！）からも関心を寄せられました。父親はもっとお金になる作品をさらに速いペースで制作しろとエリザベッタに要求し、儲けをすべて自分のものにしました。1654年、父親は痛風で衰弱し（豪華な食事と運動不足が原因かもしれません）、エリザベッタは19歳で彼の工房を引き継ぎました。彼女の作品の売り上げで家族全員が暮らせるようになりました。お金を稼ぐ必要に迫られた彼女は、イタリア全土でも飛び抜けて多作な画家となりました。▼当時の他のバロック画家と同じく、エリザベッタの作品には神話や宗教を題材にした、細部まで描き込まれた劇的な場面がいっぱいでした。彼女は肖像画から大作まであまりにも多くの作品を短期間に制作していたため、一部の評論家たちはすべてが彼女の手によるものだとは信じませんでした。彼女は誹謗中傷を受け、作品を描いているのは男たちだという噂を流されました。1664年、エリザベッタは人々を招いて実際に絵を描くところを見せ、噂に終止符を打ちました。人々は真っ白なキャンバスを前にした彼女があっと言う間に絵画を完成させるのを目の当たりにして驚き、感銘を受けました。▼エリザベッタはヨーロッパ初の女性芸術家のための学校を設立しました。それは修道院以外で女性が女性の名手から学ぶことのできる、当時他にはほぼ存在しなかった場所でした。エリザベッタは27歳で胃潰瘍によって悲劇的な死を遂げました。彼女はヨーロッパでたいへん愛されていたので、葬儀の行列は彼女を讃える音楽家や詩人、アーティストたちのお祭り状態になりました。彼女の教え子の多くも偉大な画家になりました。彼女の作品は現在でも世界の主要な美術館の数々で鑑賞することができます。

彼女はその才能、美しさ、気立てのよさによって、ルネッサンスの巨匠ラファエロに並べられた

子ども時代、彼女は神話と歌、ハープ演奏、文章の書きかたを習った

10年のキャリアを通じて、自分の作品を記録する詳細な目録を作っていた

葬儀の際にはイーゼルに向かう彼女の等身大の彫像が作られた

CHRISTMAS 29 USA

彼女の聖母子像は1994年に切手の図案に採用された

すっごくドラマチック！

キアロスクーロ（イタリア語で「明暗」）は、黒い背景に対し人物が激しいコントラストで光を浴びているようなバロック絵画のスタイルを指す美術用語

ヨーロッパ中の王族の肖像画を描いた

彼女の作品はロココと新古典主義の融合

パリの王立絵画彫刻アカデミーの会員

「私にとって描くことと生きることは、これまでずっと分かち難いひとつの同じことでした」──エリザベート゠ルイーズ・ヴィジェ゠ルブラン

エリザベート＝ルイーズ・ヴィジェ＝ルブラン

画家（1755-1842）

エリザベート＝ルイーズ・ヴィジェ＝ルブランは、その絵画のみならず彼女自身の魅力でもよく知られていました。彼女はその両方によってヴェルサイユ宮殿にうまく馴染んだのです。エリザベートのロココ様式の肖像画には、華やかな18世紀フランス宮廷の途方もない贅沢さが表現されています。▼1755年にパリで生まれたエリザベートは、幼い頃から壁などあらゆる平面に絵を描いていました。才能あるパステル画家だった父親は彼女に絵の描きかたを教えました。残念なことに彼はエリザベートがわずか12歳の時に亡くなりました。しかし幸い彼はプロになるために必要な技術をすべて娘に伝えていました。彼女は15歳で絵の仕事をはじめ、19歳の時にサン＝リュック・アカデミーの会員となりました。1774年、エリザベートは美術商のジャン＝バティスト＝ピエール・ルブランと結婚しました。彼女はサロンやホテルで作品を展示し、また自宅でも展覧会を開きました。まもなくエリザベートはパリの貴族たちを描くようになりました。▼24歳の時、エリザベートは初めて王妃マリー・アントワネットを描きました。彼女は王妃のお気に入りの画家兼親友になりました。エリザベートはすぐに宮廷でいちばんの人気画家となり、その作品はヨーロッパ中でファッションのトレンドを生み出しました。おしゃれでお金持ちで有名な人々を描いた彼女の油絵は、言うなれば今日のファッション雑誌のようなものでした。1783年、彼女は権威ある王立絵画彫刻アカデミーの数少ない女性会員のひとりとなりました。▼ヴェルサイユ宮殿が黄金の調度品や壁いっぱいの油絵に覆われていた一方、フランスの大部分の人々は飢えていました。フランス革命が起こり、貴族と関係のある者を暴力的に葬り去ろうとする動きに命の危険を感じたエリザベートは、1789年に子どもを連れてイタリアに逃れました。1792年9月に王政は倒され、王妃マリー・アントワネットと国王ルイ16世をはじめ、宮廷の人々の多くが後に処刑されました。エリザベートはその後12年間フランスに戻ることはありませんでした。彼女はそのカリスマ性と才能で、革命後も生き残って成功を収めた数少ない宮廷人のひとりです。彼女はヨーロッパ各地の王侯貴族を描き、1802年に安全が確保されるとフランスに帰国しました。エリザベートは86歳まで生き、パリで亡くなりました。彼女の作品には歴史における唯一無二の瞬間が捉えられており、現在でも世界中の主要な美術館で彼女による肖像画を鑑賞することができます。

ヨーロッパの
5つの
アカデミーの
名誉会員に
なった

「シュミーズドレスの
マリー・
アントワネット」
（1783）

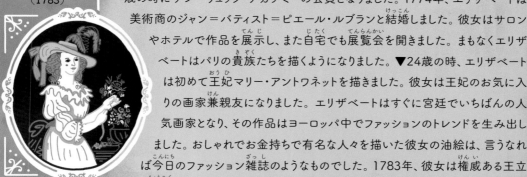

庶民的な服を着た
マリー・アントワネットを
描いて
ヴェルサイユ宮殿を
騒がせた

1835年に
回顧録
『思い出』
を出版した

亡命生活から
フランスに
戻ってきたあと
アートギャラリー
（サロンと呼ばれた）
を開いた

1787年、
幸せそうな笑顔
（歯を見せて！）
の自画像を
描いて
論争を引き起こした。
歯の見える
笑顔は
当時エチケットに
反すると
されていた

ヴィクトリア時代の
最も偉大な写真家のひとりとされる

写真が表現力豊かな
芸術となることを示した

写真を使って物語を伝えた

「優しい情熱をもってレンズを手にした瞬間から、それは私にとって声と記憶と創造的な活力を備えた生きているものとなったのです」——ジュリア・マーガレット・キャメロン

ジュリア・マーガレット・キャメロン

写真家（1815-1879）

ジュリア・マーガレット・キャメロンは1815年、イギリスに植民地化されていた時代のインドのコルカタに生まれました。1848年、彼女は夫と6人の子どもたちと一緒にイギリスに移住しました。ジュリアの人生は、48歳の時、子どもから木製のカメラを贈られたのをきっかけに一変します。レンズを覗き込んだ瞬間、ジュリアの心に創作意欲が湧き上がりました。1863年に写真家として仕事をはじめたジュリアは、肖像写真というもののありかたを永遠に変えることになります。▼その頃、写真はまだ新しい技術で、はっきりしたイメージを生み出すために被写体は長時間じっとしていなければなりませんでした。そのため肖像写真は非常に堅苦しい感じのものでした。当時の写真は芸術よりも科学寄りのものと考えられており、写真家は「生命を保存する」べくできるだけ細部まではっきりしたイメージを捉えようと努めたのです。▼ジュリアは違うやりかたを選びました。彼女は被写体が動いてもよしとして、嬉しい偶然や表現豊かなピントのボケを取り入れました。人々の感情を捉えようとした彼女の写真は、いきいきとして夢のような感じでした。彼女の正統的でない撮影方法は、画像をくっきりさせることよりも人の内面を描き出すことを優先していました。ジュリアはあらゆるルールを破りましたが、意識的にそうしたのか否かは歴史家たちのあいだで議論の的になってきました。彼女は自分の写真に物語を語らせたいと望み、そうすることによって芸術的表現としての写真の可能性を広げたのです。▼ジュリアは上流階級出身だったこともあり、文学、歴史、神話をよく学んでいました。彼女はモデルにシェイクスピア風の服や中世の王冠、聖書物語の衣装を着せ、ドラマチックなポーズをとらせ、写真を使って自分のお気に入りの物語を伝えました。▼写真家の多くが彼女の作品はプロらしくないと批判しましたが、画家たちは彼女を自分たちの仲間とみなして賞賛しました。彼女は熱意と無限の創造性をもって、チャールズ・ダーウィン、アルフレッド・ロード・テニスン、ジョン・ハーシェルなどの有名なアーティストや科学者たちを撮影しました。彼女は自分の家族や使用人を撮影し、時には街角で見かけた知らない人を追いかけてカメラの前でポーズをとってほしいと頼みすらしました。▼ジュリアは11年のあいだに1200点を超える膨大な写真作品を制作しました。現在、その作品は世界中の主要な美術館で展示されており、彼女は新たな芸術の確立に貢献した女性として記憶されています。

1800年、トーマス・ウェッジウッドが世界で初めて感光性がある化学物質を使ってカメラで撮影した像を定着させる実験をおこなった

1822年、ジョセフ・ニセフォール・ニエプスが世界初の写真処理技術として知られるヘリオグラフィを発明した。

ニワトリ小屋を写真スタジオに改装した

1864年、家族の友人を撮影した際に偶然ソフトフォーカスがかかって、自分にとって「初めての成功」だという写真が撮れた

ジュリアは家族に天使の扮装（ふんそう）をさせ剥製（はくせい）の白鳥と一緒にポーズを取らせたことがある

19世紀最高の動物画家

絵画が評価され
レジオン・ドヌール
勲章を授与される

「アートは専制君主です。それは心、頭脳、魂、肉体を要求します。完全なる献身です。そうでなければアートの最高の寵愛を得ることはできません。私はアートと結婚しています」──ローザ・ボヌール

ローザ・ボヌール

画家（1822-1899）

19世紀には性別がどう示されるべきかを規制する厳しい「ルール」があり、女性は「淑女らしく」ふるまい、また「繊細」であることが求められていました。しかし、ローザ・ボヌールはあらゆるルールを破りました。この時代の最も偉大な動物画家だった彼女は、コルセットを身につけ馬に横乗りしている姿を見せることはありませんでした。その代わり、彼女は自ら手を汚して動物を至近距離からスケッチし、「男性的な」装いと画風で有名になりました。彼女は他の人たちがどう思うかを気にしませんでした。ローザは自分自身でいることを諦めなかったのです。▼彼女は1822年、フランスに生まれました。両親は娘が教育を受け画家を志すのを応援しました。田舎で遊んでいた彼女は、野生動物たちに創作意欲を刺激されました。一家は1828年にパリに引っ越し、彼女はパリの有名な美術館で学んで、スケッチを描くようになりました。▼ローザは、自然環境の中に生きている動物たちをそのまま正確に描くことを目指しました。解剖学的な正確さを期するために、彼女はよく動物を間近に見られる農場に出かけて習作を描きました。注意深く観察した甲斐あって、1841年にパリのサロンに初出品して以来、彼女の作品はたびたび入選しました。▼1852年、ローザは傑作と名高い「馬の市」を描きはじめ、1855年に完成させました。高さおよそ2.5メートル、幅5メートル以上の大作で、キャンバスに描かれた馬たちが動きと強さとエネルギーを放っています。この絵は1853年のパリのサロンで発表され、ローザは国際的な熱狂の渦を巻き起こしました。「馬の市」はリトグラフ（版画の技法）で複製され、ヨーロッパおよびアメリカ中の人々が彼女の作品を楽しみました。皇帝ナポレオン3世やヴィクトリア女王も彼女の原画を鑑賞したいと望みました。ローザは彼女についての歌が書かれるほど有名になりました。▼ローザは生涯を通じてレズビアンであることを公表しており、恋人で同じく画家だったナタリー・ミカスの存在を隠しませんでした。40年以上にわたってパートナーだったナタリーが1889年に亡くなったあと、ローザはアンナ・エリザベス・クランプケと恋に落ちました。ローザは1899年に亡くなり、財産をアンナに遺贈しました。▼当時、同性愛者は偏見や暴力に晒されていたにもかかわらず、ローザはその際立った才能によって世界に受け入れられ、それによって彼女は後進の女性およびクィアのアーティストに道を切り拓きました。ローザは馬に乗って全速力で駆けたり、ただ人を思い切り愛したりしながら、自分の人生を偽ることなく生きました。

19世紀の
パリでは
女性がズボンを
はくのはみっともない
とされていた

ローザは半年ごとに
公共空間で
ズボンをはいて
よいという
政府の許可証を
更新しなければ
ならなかった

アメリカの
ショーマン
"バッファロー・ビル"
はローザの絵の
大ファンで、2頭の
馬を彼女に贈る
ほどだった

"シャトー・ド・バイ"
と呼ばれる自宅で、
家畜（かちく）類、
ガゼル、ヤク、
アイスランドホース、
そしてライオンも
飼っていた！

子ども時代には
兄と一緒に
男子校に通った

子どもの頃は
文字がうまく
読めなかったが、
動物の絵を
描くことで
アルファベットを
覚えた

解放奴隷にとって重要だった
聖書物語や伝説について伝える
キルトを制作

彼女のキルトはスミソニアン博物館と
ボストン美術館に収蔵されている

「私は生まれてこのかた南部で育ってきて、30種のキルトの型に親しんできました。しかし1886年、ジョージア州アセンズのコットンフェアに行くまでは、オリジナルのデザインも、生きものがパッチワークで表現されているのも見たことがありませんでした」
——ジェニー・スミス、ハリエット・パワーズのキルトについて綴った手紙

ハリエット・パワーズ

キルト作家(1837-1910)

1837年、ハリエット・パワーズはアメリカ合衆国のジョージア州アセンズ近郊で奴隷の身分に生まれました。奴隷制度の残忍な習わしで、奴隷に読み書きを教えることは法律で禁止されていました。しかしハリエットは前の世代の女性たちと同様、その芸術的才能を用いてオーラルヒストリー（口述歴史）を伝える助けとなるストーリーテリングキルトを制作しました。彼女のキルトには重要な伝説や聖書物語や天文現象が表現されています。南北戦争後の1865年、奴隷制はアメリカ憲法修正第13条により違法となりました。ハリエットは28歳でようやく自由の身となり、家族と共に自分たちの土地と家を所有できるようになりました。▼1886年、ハリエットはジョージア州アセンズのコットンフェア（木綿見本市）で、現在ではよく知られている聖書キルトの作品を展示しました。白人の美術教師ジェニー・スミスがこのキルトに目を留め、10ドル（現在の240ドル以上）で購入したいとその場で申し出ました。ハリエットは貴重なキルトを手放したくなかったので断りました。▼1865年から1866年、南部では解放されたばかりの奴隷たちの権利を剥奪し、農園がほぼ無料で労働力を確保し続けられるようにしようという狙いで「ブラック・コード」と呼ばれる法律が制定されました。戦後、南部は経済的に困窮していました。社会情勢はハリエットと家族にとって厳しくなり、彼女たちは土地の一部の売却を迫られました。アセンズのコットンフェアから4年後、ハリエットは家族と話し合った結果、大切な聖書キルトを売ることにしました。彼女はジェニー・スミスに5ドルでキルトを売りましたが、その意味がきちんと伝えられるように、正方形の図案それぞれが語る物語の説明をジェニーに書き留めさせました。この作品の収益により、ハリエットの家族は家を手放さずに済みました。▼ハリエットは他にも何点かのキルトを作るために雇われていたという記録が残っています。彼女は1910年に72歳で亡くなりました。今日、彼女が作ったキルトのうちふたつは立派な博物館に収蔵されています。ハリエット・パワーズは生きているあいだに富や名声を得ることはできませんでしたが、彼女のキルトの美しさは130年以上にわたって生き続けています。彼女の作品は再建期と呼ばれる時代の南部のアフリカ系アメリカ人の生活を目に見えるように表現し、奴隷制の時代を生き抜いた人々の生活、希望、夢、力強さを今日に伝えています。

53歳の時に初めて自分のキルト作品を売った

彼女のキルトには西アフリカのデザインの影響（えいきょう）が見られる

ハリエットの聖書キルトには手縫（ぬ）いとミシン縫いの両方が用いられている

彼女の聖書キルトにはヨナとクジラ、カインとアベル、ヤコブのはしご、最後の晩餐（ばんさん）などの場面が取り上げられている

彼女のピクトリアルキルト（1895-98）はアトランタ大学の"女性教授陣"に依頼されて制作されたものと考えられている

代表作は1876年に
制作された
「クレオパトラの死」

自身の二重のルーツを反映した独自の
新古典主義彫刻を創作

国際的な名声を得た初の
アフリカ系アメリカ人
彫刻家

「時に状況は暗く、心もとなく感じられることもあるでしょう。しかし意志あるところに道はあります。私は今に至るまで仕事に打ち込み、ここまで来たのです」——メアリー・エドモニア・ルイス

メアリー・エドモニア・ルイス

彫刻家（1844-1907）

メアリー・エドモニア・ルイスは1844年、アメリカ北東部のどこかで生まれました。父親はアフリカ系アメリカ人、母親はネイティヴアメリカンでした。彼女は幼い頃に両親を亡くし、母親の家族に育てられました。19世紀半ば、有色人種の人々が教育を受けられる機会は限られていましたが、エドモニアには幸運にも教育費を援助してくれる兄がいました。エドモニアは当時、女性もアフリカ系アメリカ人も受け入れていた最初の（そして事実上唯一の）高等教育機関だったオーバリン大学に15歳で入学しました。▼エドモニアが大学に入って2年後には南北戦争がはじまりました。北部では奴隷制度はすでに違法でしたが、だからといって人種分離や差別や暴力が存在しなかったわけではありません。エドモニアはふたりのルームメイトを毒殺したという疑いをかけられてしまいました。彼女は無実だったにもかかわらず風評被害を受け、怒った人種差別主義者の暴徒たちに襲われました。彼女は身の安全のため1863年に退学しました。▼翌年、エドモニアは彫刻を学ぶためにボストンに移り住みました。彼女はアボリショニスト（奴隷廃止論者）や北軍の将軍の胸像を粘土で作りはじめました。彼女の作品は人気を集め、複製品を販売することができました。この売り上げでエドモニアはローマを訪れ、ルネッサンスの巨匠たちの大理石像に刺激を受けました。18〜19世紀の新古典主義と呼ばれる芸術運動は、古代ギリシャやローマの彫刻のスタイルと技術を作品に取り入れようとしていたのです。▼エドモニアはヨーロッパで他の女性彫刻家たちと一緒に大理石の扱いを学びました。他の新古典主義のアーティストたちとは異なり、彼女の作品は先住民やアフリカ系アメリカ人を彫った独自のものになっていました。1867年には、黒人の男女が奴隷制度の鎖を解く姿を捉えた「永遠に自由」を制作し、南北戦争末期のアフリカ系アメリカ人の解放を祝福しました。エドモニアは成功を収め、国際的に有名になりました。比較的寛容な土地柄のイタリアで、彼女の誇り高き黒人女性としての政治的な意思表明は称賛されました。1876年にフィラデルフィアで開催されたアメリカ合衆国独立100周年記念の万国博覧会のために、エドモニアはおよそ1.37トンの大理石の傑作を制作しました。それは「クレオパトラの死」という、大胆不敵な黒人の女王が自らを蛇に噛ませる姿を英雄的に表現した作品でした。▼メアリー・エドモニア・ルイスは1907年に亡くなりました。今日でも全世界が彼女の偉業を讃え、その作品は人々にひらめきと力を与え続けています。

「老いた矢職人」（1872）などネイティヴアメリカン文化を題材にした彫刻を制作

「クレオパトラの死」（1876）は競馬場に売却され、その後1990年代に修復を経てスミソニアン博物館に寄贈された

他の大理石彫刻家とは異なり、彼女は助手をほぼ雇わず、すべて自身の手で石を刻んだ

ジョン・ブラウンやロバート・グールド・ショウといった奴隷廃止論者たちの胸像を作った

20世紀最高のアメリカ印象派画家

母と子の親密な世界についての作品を描いた

女性参政権運動を支援した

「女性は何かではなく誰かであるべきです」──メアリー・カサット

メアリー・カサット

画家（1844-1926）

19世紀後半、欧米の上流階級の女性たちは、「こうあるべき」という社会通念が定める制限を超えはじめていました。「新しい女」は自らの意思で結婚し、教育を受けて自立し、自分の情熱を追求するようになりました。同じ頃、パリでは印象派と呼ばれる反抗的な新しい芸術運動がはじまりました。従来のアート界がとても堅苦しく、写実主義を何よりも重視していたのに対し、印象派はぼやけた筆致で流れる時の一瞬を捉え、色、動き、光に焦点を当てました。これらふたつの動きのあいだにいたのがメアリー・カサットです。▼メアリーは1844年にアメリカ合衆国のピッツバーグ近郊で生まれました。カサット夫妻は子どもたちを文化に触れさせようとヨーロッパに連れて行きましたが、この教育旅行は彼らの狙い以上に効果てきめんでした。幼いメアリーはパリのアート界に夢中になりました。メアリーは両親の反対を押し切って15歳でペンシルベニア美術アカデミーに入学しました。1866年、メアリーは美術の勉強を続けるためにパリへ向かいました。彼女はパリを愛していましたが、普仏戦争の影響でアメリカへの帰国を余儀なくされました。メアリーは1871年にヨーロッパに戻り、1874年にはパリに落ち着きました。彼女の絵は長きにわたってパリのサロンで評判の的になっていましたが、1877年、サロンは7年目に初めて彼女の作品を拒否しました。サロンは彼女の筆づかいがあまりにも緩くカラフルすぎると言いましたが、画家のエドガー・ドガは感銘を受けました。ドガは合同展に参加するよう彼女を招き、メアリーは印象派と呼ばれるフランスの前衛グループの一員となりました。▼彼女は1890年代にはドガとは別の道を行くことにしました。ドガの極端な愛国主義や、彼女の絵に対する性差別的な発言にうんざりしたのです。メアリーは同時代の女性の日常の姿を捉えた肖像画を描きはじめました。多くの男性画家が女性を男性の欲望の対象として描いていたのに対し、メアリーは男性の視線から自由な、自分自身でいる状態の女性を描いたのです。彼女は「子どもの入浴」（1893）などの作品に見られるように、母親とその子どもたちの親密な世界を捉えています。これは彼女の一連の作品の中で最もよく知られるものとなりました。▼メアリーは世界中を旅し、絵画を描き、若いアーティストを指導することに人生を捧げました。1914年に彼女は視力を失い、仕事をやめざるを得なくなりました。彼女は1926年に亡くなり、現在も19世紀後半を代表する偉大なアーティストのひとりとして記憶されています。

彼女の邸宅シャトー・ド・ボーフレンを訪れるためだけにパリへとやってくるアメリカ人たちもいた

日本のアーティスト喜多川歌麿（きたがわうたまろ）の浮世絵に触発されて版画の制作をはじめた

投票！

女性に参政権を

女性参政権運動の資金を集めるために展覧会を企画した

有名なパリのアメリカ人として、ドガやモネといったパリのアーティストたちをアメリカのギャラリーに紹介した

エジプトを訪れて古代壁画（へきが）の美しさに圧倒されたメアリーは、感動のあまりこう述べた

私はこの芸術の強さにやられた

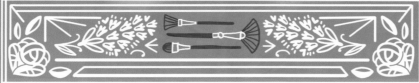

「絵付けをはじめたばかりの頃には、古い村へ行って陶器の破片を拾い、そのデザインをまねていました。そうやって絵付けのやりかたを学んだのです。でも今ではただ目を閉じればデザインが浮かんできますから、それを描いています」——ナンペヨ

ナンペヨ

陶芸家（1859-1942）

ナンペヨは国際的に有名になった初のネイティヴアメリカン陶芸家であり、自らこの分野の再興の火付け役となりました。彼女は1859年に生まれ、アリゾナ州の代々ホピ族に受け継がれた土地で育ちました。当時、ホピ族の伝統的な作陶の技術は失われており、作られていた壺は薄く割れやすいものでした。ナンペヨは彼女が生まれる300年前に作られたものとみられる古いホピ族の陶器の破片を発見しました。そこには複雑な幾何学文様が描かれており、さらに重要なことに、滑らかで頑丈でした。彼女は集めた破片を研究し、使用する陶土を探り当てて、これらのデザインを再現する方法を編み出しました。その結果、祖先たちのものと同じぐらい美しい陶器ができあがりました。ナンペヨは他の人たちに自分の手法を教えはじめ、ホピ陶芸復興運動が起こりました。▼またナンペヨは、シキヤキと呼ばれる伝統的な天然染料の技法を用いて陶器に絵付けをしていました。ホピ語で「黄色い家」という意味で、複数の色を用いた陶器のスタイルのことです。ナンペヨの陶器に描かれた幾何学的な文様の多くは、ホピ族に伝わる歴史における重要な出来事を象徴しています。たとえば、抽象的で幾何学的な鳥の翼は、ホピ族の人々が彼らの土地へと移動してきたことを表現しています。ナンペヨは技術を磨き、独自にデザインした陶器を制作するようになりました。▼ナンペヨが陶器を制作していたのと同じ頃に、サンタフェ鉄道が南西部まで延長されました。観光客たちは交易所に立ち寄り、先住民の芸術・工芸品を購入しました。それはネイティヴアメリカンのコミュニティの多くにとって大きな収入源となっていました。ナンペヨは20歳の時にはもう陶芸家として有名になっており、さらに全国各地を旅して自分の作品を見せて回ったことで、その名声は高まっていきました。この時代、たくさんの先住民族の女性たちが作品を制作していましたが、ナンペヨはその中でも最も目立つ存在となり、彼女の名前は学芸員やコレクターにとって特別な価値を持つようになりました。ナンペヨのようなアーティストと南西部における交通機関の拡張が、アメリカやヨーロッパで先住民族の工芸品への新たな関心をかき立てました。▼ナンペヨは年老いて視力を失いはじめましたが、仕事を続けました。彼女が絵付けをするのを家族全員が手伝いました。ナンペヨは1942年に83歳で亡くなり、孫やひ孫が彼女の窯を継いでいます。

テワ族とホピ族の血を引いており、どちらも彼女の陶芸に影響を与えている

彼女のテワ族の名前は「かまないヘビ」を意味する

彼女はグランドキャニオンにあるホピハウスで陶芸を教えた

彼女は1875年にウィリアム・ヘンリー・ジャクソンに撮影されて以来、1870年代に南西部で最もよく写真を撮られる陶芸家となった

彼女の夫は発掘現場で働いており、彼女はそこでも作品づくりのヒントとなるホピ族の陶器を見つけたのだろう

時代を超えて愛される子どもの本の
作家兼イラストレーター

彼女の原画のほとんどは
イギリスのナショナル
トラストに寄贈されている

彼女の本は1億冊以上
売れている

「もし小さな子どもたちが罪のない単純な気晴らしを楽しむことをほんの少しでもお手伝いできたのなら、私はちょっといいことをしたことになります」──ビアトリクス・ポター

ビアトリクス・ポター

作家・イラストレーター（1866-1943）

1903年に
ピーター・ラビット
人形を作って販売

自分の農場で
羊を育て、
1942年には
ハードウィック
羊畜産協会の
会長に
なった

没後、16の農場と
約1620haの
土地をイギリスの
ナショナル
トラストに
寄贈した

のねずみ
チュウチュウおくさん、
あひるのジマイマなど
有名なキャラクターを
たくさん
生み出した

キノコを描き
研究する
独学の自然学者
でもあった

ビアトリクス・ポターは1866年にロンドンで生まれました。とても裕福な家の娘だったビアトリクスは家庭教師に育てられ、全寮制の学校に進学しました。彼女はヴィクトリア朝のイギリスで厳しく躾けられ、寂しい少女時代を過ごしました。ビアトリクスは自然が大好きで、日記は湖水地方への旅や教室で飼っていたペットを描いた絵で埋まっていました。彼女は兄弟と、小動物を紙袋に入れてこっそり家に持ち込みすらしました。▼1890年、ビアトリクスはグリーティングカード用のイラストを描いてわずかなお金を稼ぎはじめました。またビアトリクスは、幼い頃の家庭教師だったアニー・ムーアとの文通も続けていました。ビアトリクスはアニーの子どもたちのために服を着た小さなウサギを手紙に描きました。7年後、このアイデアは彼女の一冊目の本になりました。▼1900年、ビアトリクスは『ピーター・ラビットのおはなし』の絵と物語を書き、自分で製本しました。この本には彼女の辛口のウィットと魅力的なイラストがいっぱいでした。たくさんの出版社に持ち込んだものの断られてしまった彼女は、1901年に初版を自費出版しました。フレデリック・ワーン社がピーター・ラビットの持つ可能性に気づいて、1902年に正式に出版しました。これはすぐに人気を集め、1年以内に6刷まで版を重ねました。ビアトリクスは大成功を収めました！ビアトリクスは、『りすのナトキンのおはなし』や『ベンジャミンバニーのおはなし』など、個性豊かな小さな動物たちの物語とイラストをたくさん描き続けました。▼ビアトリクスは自分の担当編集者だったノーマン・ウォーンと恋に落ちました。両親は商人のウォーンは身分が低いと言って結婚を許しませんでしたが、ビアトリクスは反対を無視して1905年に彼と婚約しました。しかしその1ヶ月後、彼は血液疾患で亡くなってしまいました。傷心のビアトリクスはロンドンを離れ、ずっと夢見ていた田舎の農場での暮らしを実現することにしました。彼女は田舎暮らしからヒントを得た本を発表し続けました。自然を愛していたビアトリクスは、本の印税でさらに広い農地を購入しました。彼女は田舎の弁護士ウィリアム・ヒーリスに仕事を依頼するようになりました。ふたりは恋に落ち、1913年に結婚。一緒にたくさんの農場を運営し、広大な不動産を管理しました。▼ビアトリクスは1930年に最後の作品『こぶたのロビンソンのおはなし』を出版しました。彼女はその実り豊かなキャリアで30冊近くの本を書きました。彼女の物語とイラストは、おやすみ前の読み聞かせの定番として世界中の子どもたちを喜ばせています。

アートとデザインの基本要素と原則

アートは視覚言語であり、言葉を超えることもあります。しかし、適切な語彙を使えば、あなたはアートをきちんと批評し、アートについての自分の考えを伝えることができます。以下はアートとデザインの構造を説明するいくつかの用語とデザインの基本要素です！

線	形	質感	空間

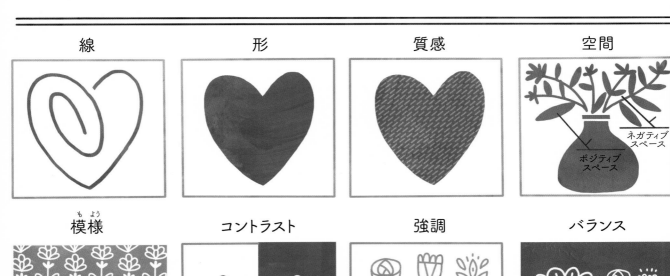

模様	コントラスト	強調	バランス

リズム／動き	調和	比率／尺度

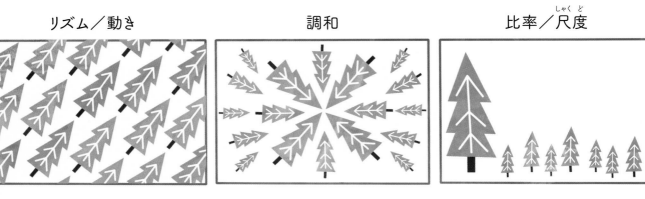

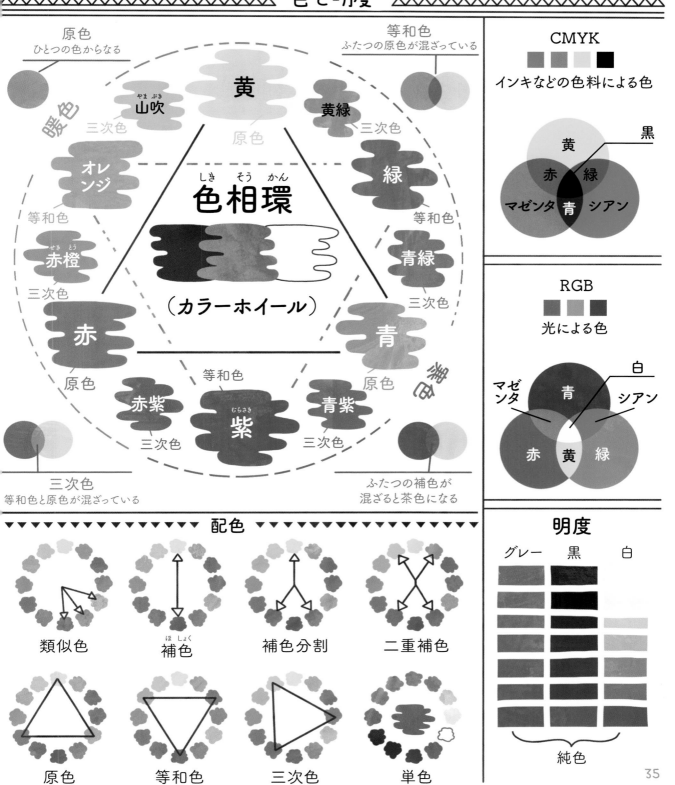

原色
ひとつの色からなる

等和色
ふたつの原色が混ざっている

CMYK
インキなどの色料による色

黄
黒
赤　緑
マゼンタ　青　シアン

暖色

黄
山吹（やまぶき）
黄緑
三次色
三次色
原色

オレンジ
等和色

緑
等和色

色相環（しきそうかん）
（カラーホイール）

赤橙（せきとう）
三次色

青緑
三次色

赤
原色

青
原色

寒色

赤紫
三次色

紫（むらさき）
等和色

青紫
三次色

三次色
等和色と原色が混ざっている

ふたつの補色が混ざると茶色になる

RGB
光による色

白
マゼンタ　青　シアン
赤　黄　緑

配色

類似色　　補色（ほしょく）　　補色分割　　二重補色

原色　　等和色　　三次色　　単色

明度

グレー　黒　白

純色

レジオンドヌール勲章を授与された、初の女性デザイナー

女性クチュリエの第一波の
ひとりであり現代ファッション・
ビジネスのパイオニア

1917-19年、クチュール組合の代表を務めた

「私は素材をはじめ、あらゆるところからインスピレーションを得ます。旅をしている時、通りを歩いている時、美しい色彩が混ざった夕焼けを見る時、新しい組み合わせを導き出す助けとなるひらめきがよく生まれるのです……私たちの仕事はある意味で画家のそれに似ています」——ジャンヌ・パキャン

ジャンヌ・パキャン

ファッションデザイナー（1869-1936）

西側諸国のファッション界は長いこと男性デザイナーによって支配されていましたが、19世紀後半、ジャンヌ・パキャンのような女性の先駆者たちの台頭によって変わりはじめました。彼女は現代女性の日常生活に適した機能性のある服を作って一大ファッション帝国を築き上げました。▼ジャンヌは1869年にフランスで生まれ、15歳で仕立て屋として働きはじめました。その縫製とデザインの技術によって、すぐに工房のプルミエール（マネージャー）になりました。しかしジャンヌは自分のブランドのために服をデザインしたいと思いました。1891年、彼女はイシドール・ルネ・ジャコブと結婚しました。ふたりでハウス・オブ・パキャンを立ち上げ、彼が経営、彼女がデザインを担当しました。1896年、パキャンはロンドンに最初の店舗をオープンし、1900年にはジャンヌがパリ万国博覧会のファッション部門の責任者に就任。ハウス・オブ・パキャンはセンセーションを巻き起こしました。▼1907年、ジャンヌが38歳の時にイシドールが亡くなりました。彼女は悲しみながらも仕事に打ち込み、ブランドの経営を続け、アーティストとして自分を高めていきました。彼女はいちはやく建築家、イラストレーター、画家、演劇人とコラボレーションしたファッションデザイナーです。彼女はカラフルなウィッグを含むコーディネイト一式を揃えた、手の込んだファッションショーを作り上げました。彼女の独創的なショーのチケットは、1席5ドル（現在の120ドル以上に相当）と高額だったにもかかわらず、常に完売していました。▼ジャンヌは、ヨーロッパで率先して着心地や動きやすさを重視する機能的な女性ファッションを追求したデザイナーのひとりです。ジャンヌは自分の服を着た女性たちが、服装によって不便があったり恥ずかしい思いをしたりすることなく、スポーツの催しから華々しいパーティーまで自由に切り替えなしで参加できるようにしたいと考えていました。1912年、彼女は女性のためのスポーツウェアのラインをはじめ、ゴルフをしたり自動車の運転をしたりタンゴを踊ったりするためのドレスを作りました！ これらは現代女性のための革命的で新しい服でした。▼ジャンヌは1920年に引退しましたが、彼女のブランドは1956年まで続きました。彼女はその創意工夫によって20世紀前半の最も重要で影響力のあるクチュリエのひとりとなり、彼女の美しい服は機能とおしゃれを結びつけるよう他のデザイナーたちを促したのです。

1911年のトリノ万博で、パキャン・パヴィリオンをギリシャの神殿のように装飾した

忙しいの！

1913年、彼女は史上初の「昼から夜まで」対応のドレスとみなされている服をデザインした

オートクチュールは「高級縫製」という意味で、一点一点手作りされた高価な最高級の衣服を指す

ブランドの絶頂期には、ジャンヌは2700人以上の従業員を雇い、ロンドン、ニューヨーク、マドリッド、ブエノスアイレスに店舗を構えていた

もう喪服だけじゃない！

黒は新しい黒！

彼女はそれまでとは異なる黒い素材を新しく魅力的なやりかたで扱い、黒という色をファッショナブルにした

カリフォルニアとハワイで
700以上の建物を設計

没後の2014年、女性として
初めてアメリカ建築家協会（AIA）
金メダルを授与された

カリフォルニア初の
女性公認建築士

「建築は視覚芸術のひとつであり、建物それ自体が語りかけるのです」——ジュリア・モーガン

ジュリア・モーガン

建築家 (1872-1957)

これだ！

彼女は
28年間かけて
ハースト・キャッスル
に取り組み、
飼育する動物を
選ぶところから
プールの
デザインや
室内のアートと
アンティークの
配置など、
隅々まで
自ら関与した

アート・アンド・
クラフト、
スペイン風
コロニアル、
チューダー、
ジョージアン
など、
その場所に適した
さまざまな
建築様式を
採用した

ジュリア・モーガンは1872年、アメリカ合衆国サンフランシスコで生まれました。彼女はカリフォルニア大学バークレー校在学中に建築に興味を持つようになりました。1896年、土木工学の学位を取得したジュリアはパリに渡りました。フランスの国立高等美術学校で建築を学びたかったのですが、女性は受け入れていないという理由で入学を断られてしまいました。当時これは珍しいことではありませんでした。ほとんどの大学やクラブ、集会所が男性専用でした。あるパリの女性アーティスト団体が性差別的な大学に抗議し、この怒りの声を受けて1897年に女性に門戸が開かれました。その頃、ジュリアは難関の入学試験に向けて勉強していました。3回のテストを受けた後、彼女はついに女性として初めてこの学校の建築学科に入学しました。1902年、彼女は課程を終えて、学位を取得しました（平均的な学生の倍の速さで）。▼ジュリアの噂はアメリカに伝わり、カリフォルニアに戻って数週間後には建築家のジョン・ギャレン・ハワードに雇われました。ジョンのもとで働いているあいだ、ジュリアはハースト・グリーク・シアターなどカリフォルニア大学バークレー校キャンパスのいくつかの建物を設計しました。1904年、彼女は女性初でカリフォルニア州の建築士免許を取得し、サンフランシスコに自分の事務所を開きました。彼女はそのキャリアを通じて700以上の建物を設計しました。最も重要な顧客は大富豪のハースト家でした。彼らはハースト・キャッスルと呼ばれるお屋敷をはじめとするジュリアの代表作の数々の依頼主です。▼ジュリアが働きはじめた頃、アメリカ中の女性たちが選挙権を求めて闘っていました。ジュリアは社交・市民クラブや女子校、独身女性のための住宅、子どもたちのための小学校や孤児院など、特に女性に利用されることを念頭においた建物を100軒設計しました。ジュリアはこうした女性のための重要な事業は普段よりも低い報酬で引き受け、時には無償で働くこともありました。1920年、アメリカ合衆国の女性たちは選挙権を獲得しましたが、女性が集まって活動するための空間はまだまだ必要とされていました。女性のための空間を建築することによって、ジュリアは新しい進歩的な時代を目指して自ら闘っていたのです。ジュリアは1950年に引退し、その7年後に亡くなりました。彼女の建物の多くは今日でも現役で使われており、重要建造物として知られています。

1913年から
1930年の
あいだ、YWCA
の建物を
たくさん設計した

1906年の
サンフランシスコ
地震のあと、
たくさんの建物の
再建と修復に
協力した

バークレー在学中は
YWCA支部の
設立に協力し、
いくつかの
女子
スポーツチームを
立ち上げたのに加え、
カッパ・アルファ・
シータ・ソロリティの
一員だった

人類学芸術運動の創始者

ブラジルのモダンアートに最大の
影響を与えたアーティストとされている

ブラジルのあざやかな色彩、
人々、風景に触発された、

「私は私の国の画家になりたい」——タルシラ・ド・アマラル

タルシラ・ド・アマラル

画家（1886-1973）

「アバポール」
（1928）

「アバポール」は
ブラジル先住民に
伝わる
トゥピ＝
グアラニー語で
「男が食う」
という意味

彼女は
当時の
西洋芸術の
控えめな色を
拒否し、
ブラジルの風景や
ペンキを塗られた
建物の
あざやかな色に
触発された

タルシラ・ド・アマラルはブラジルのモダンアートの母です。タルシラは1886年、ブラジルのサンパウロに生まれました。彼女の家はたいへん裕福だったので、1920年にはヨーロッパに渡り、パリのアカデミー・ジュリアンでアートを学ぶことができました。1923年にはふたたびパリに戻り、前衛画家のアンドレ・ロート、アルベール・グレーズ、フェルナン・レジェに師事しました。彼女はヨーロッパのモダンアート、たとえばキュビズムなどの前衛的な様式について学びましたが、どれも退屈に思えました。彼女はこうした様式の絵画を「兵役」にたとえています。革新的な画家たちのあいだにさえも、何が"正しい"絵画なのかを決める厳格なルールがあったのです。タルシラはヨーロッパの絵画の世界からあらゆるものを吸収し、サンパウロに戻ってからは、それを新しい絵画の様式に変えていきました。▼ブラジルに戻ると、動物、風景、人、民芸品がタルシラのインスピレーションの源になりました。彼女は故郷の色や表現をパリで受けた美術教育と混ぜ合わせるようになり、アンソロポファギアと呼ばれる芸術運動をはじめました。これは「食人」という意味です。ブラジルのアーティストはヨーロッパの芸術を吸収し、"食べ"、学び、それを乗り越え"消化"して新しいものに変えていかねばならないとタルシラは信じていました。そうすることでタルシラはブラジル特有の現代的なアートの様式を生み出しました！　1928年には食人運動をはっきり提示する絵画「アバポール」を制作。この作品で彼女は、水浴びするヌードの女性という非常にヨーロッパ的な題材を採用しながら、女性の体を抽象化してまるでブラジルの風景や山のように描いています。▼タルシラは1920年代にサンパウロとパリの両方で大成功を収めました。彼女の作風はブラジルの政治・経済情勢と共に変わっていきました。大恐慌が訪れると、彼女は財産を失い、それからまもなく軍事独裁政権がブラジルを支配しました。タルシラは自分の仕事を続け、その絵画は重苦しい政治的意見表明となりました。▼タルシラは1973年に86歳で亡くなりました。彼女は230点以上の絵画と何百点ものドローイング、版画、壁画を遺しており、そのすべてが彼女独自のブラジル的様式で描かれています。彼女は祖国を代表するアーティストなのです。

ブラジルでは
すごく有名で、
タルシラといえば
彼女のこと

「ア・クーカ」（1934）

彼女は
ブラジルの先住民族
のアートに大きな
影響を受けている

水星のアマラル・
クレーターは
彼女にちなんで
名付けられた

70年の長きにわたってアートを制作

彼女の絵は自然をかつてない
やりかたで抽象化した

20世紀アメリカのモダンアートの
パイオニア

「私は色とかたちならば自分が他の方法では言えないことも言えるということに気づきました──言葉にならないことも」
──ジョージア・オキーフ

ジョージア・オキーフ

画家（1887-1986）

ジョージア・オキーフは1887年、アメリカ合衆国ウィスコンシン州の農場で生まれました。彼女は10歳の時にはもう将来はアーティストになりたいと思っていました。1905年、アート・インスティテュート・オブ・シカゴで美術教育を受けはじめ、それからアート・スチューデンツ・リーグ・オブ・ニューヨークに編入しました。1915年、ジョージアは自然から発想を得たリズミカルで抽象的な木炭画を描きはじめました。当時ヨーロッパでは抽象画はまだ革新的なものと見られており、彼女はアメリカでまっさきにそれを試してみたアーティストのひとりでした。ジョージアはアーティストとしての自分の声を見つけました。▼ジョージアの友人が有名な写真家アルフレッド・スティーグリッツにこれらの抽象画を見せたところ、彼は非常に感銘を受けました。1917年、ジョージアはニューヨークにあるアルフレッドの画廊で初の個展を開催しました。アルフレッドとジョージアは恋に落ち、1924年に結婚しました。ジョージアは花をクローズアップで描いた大きな絵で知られるようになりました。彼女が花に近づいてよくよく見ると、そこにはカラフルな風景、すなわちひとつの世界が広がっていました。彼女は自分の絵でその美しさを分かち合いたいと思ったのです。しかし批評家たちは、彼女とアルフレッド・スティーグリッツとの恋愛関係を取りざたしたり、彼女の花が女性器のように見えるのを指摘したりすることばかりに熱心でした。ジョージアは自分の作品が誤解されてしまったことで意気消沈しました。▼1929年、彼女はニューメキシコ州へと旅するようになりました。ジョージアは山々や落ちていた動物の骨や砂漠を描きました。彼女は屋外での作業が好きで、雷雨や猛暑の中で描くこともしょっちゅうでした。自然を抽象化して色彩を探究する彼女の先駆的なアプローチは大成功を収め続けました。▼アルフレッドが1946年に亡くなって3年後、彼女はサンタフェに移り住みました。ジョージアは作品を展示・販売しながら世界を旅して周り、日本やペルーの風景画を描きました。ジョージアは高齢になってもネヴァダ州の山々をハイキングして制作を続けました。90歳になって視力が衰えはじめましたが、「私には描きたいものが見える。創作意欲をかき立てるものはまだここにある」と言って仕事を続けました。1986年、彼女は98歳で亡くなりました。たくさんの歴史家たちが、彼女を史上最高に重要なアーティストのひとりとみなしています。

フォード・
モデル A を
移動屋外
スタジオに
した

年老いて
視力を失うと
彫刻（ちょうこく）
を作りはじめた

彼女の
作品シリーズの
多くは
写実的な絵画から
はじまっており、
それが点数を
重ねるごとに
抽象化していった

「朝鮮朝顔／
白い花 No.1」
（1932）

ジョージアいわく
「花を手に取って
よく見つめれば、
それは一瞬
あなたの世界に
なるのです」

1985年、
生涯の功績に
対して
アメリカ国家
芸術賞を
授与された

セロ・ペダーナル・
メサは絵を描くのに
お気に入りの
場所だった。
彼女の遺灰は
ここに撒かれた

43

ベルリン・ダダの一員

自分の作品を通してジェンダーロールや美の規範について政治的な意思表明をした

写真を表現手段として使用した最初期のアーティストのひとり

dada

「私は、私たちのような思い込みの強い人々が『これしかできない』と頭に描きがちな強固な境界線をぼやけさせたいのです」──ハンナ・ヘッヒ

ハンナ・ヘッヒ

ミクストメディア、コラージュ・アーティスト（1889-1978）

ベルリンの雑誌に
テキスタイル、
編みもの、
刺繍についての
記事を書いた

彼女の
フォトモンタージュ
「ドイツにおける
最後のヴァイマル・
ビール腹文化
時代をキッチン
ナイフで切る」
（1919）

彼女は右下に
自分の署名を
入れる代わりに
女性参政権の
ある国の
地図を描いた

ハンナ・ヘッヒはドイツのベルリンで活動した有名なダダイストのグループに参加していた唯一の女性です。第一次世界大戦中の混沌、暴力、そしてかつてない生命の喪失への応答として、ダダ運動は反戦、反権威、そして反芸術ですらありました！ダダのアーティストたちはファウンド・オブジェを用いた型破りな手法で、あえてばかげたアートを制作しました。ハンナは時代に先駆けてフォトモンタージュ（写真を用いたコラージュ）を使ったアーティストのひとりとされています。彼女は自分の作品を使ってヴァイマル共和政時代のドイツの美の基準、性差別、人種差別を批判しました。▼ハンナは1889年にドイツのゴータで生まれました。1912年にはベルリンの美術学校に入学しましたが、第一次世界大戦が勃発し、学びを中断することを余儀なくされました。彼女は1915年に学校を再開しました。在学中、彼女はダダのアーティストで著述家のラウル・ハウスマンと恋愛関係になり、ベルリン・ダダの芸術グループに加わるよう誘われました。ダダの男性メンバーたちは性の平等を謳っていたにもかかわらず、女性だという理由でハンナを仲間外れにすることがよくありました。彼らはラウルが彼女のために立ち上がるまで、1920年の国際ダダ展から彼女を排除しようとすらしていたのです。この展覧会で、ハンナは「ドイツにおける最後のヴァイマル・ビール腹文化時代をキッチンナイフで切る」（1919）という作品を発表しました。このフォトモンタージュはハンナの代表作となります。これは戦後ドイツにおける企業の腐敗や性差別に直面した女性の強さを表現しています。▼1922年、ハンナとラウルは別れ、ダダイストのグループもまもなくばらばらになりました。ドイツの政治はファシズムを迎え入れ、反ユダヤ主義や人種差別や同性愛嫌悪が蔓延しました。ハンナはこうした偏見に異議を申し立てる作品を作り続けました。1933年、ナチ党が政権を握ると、政府は自分たちに反対する芸術や文学を違法としました。1934年にはハンナのアートは"退廃的"とみなされ、展示を禁止されてしまいました。彼女の仲間の多くはドイツを脱出しましたが、ハンナはベルリン郊外のコテージに滞在しました。そこで彼女は友人たちの作品を守りながら、ひとりで制作を続けました。第二次世界大戦から数十年後、彼女の作品は再発見され、世界中で賞賛されました。ハンナ・ヘッヒは1978年に亡くなるまで作品を作り続けました。

コラージュを
作るのに
新聞、
商品カタログ、
雑誌の
切り抜きを用いた

ハンナは
バイセクシュアル
であることを
公表しており、
ショートヘアで
よく男性的な
装いをしていた。
20世紀前半の
ドイツでは異例で
危険なことだった

フォトモンタージュ・
シリーズ
「民族誌学博物館」
（1924-1930）
では、
世界のさまざまな
地域の体、
彫刻、仮面の
イメージを
組み合わせた

彼女のいちばん有名な絵画シリーズは「地球と宇宙」と呼ばれている

ホイットニー美術館で個展を開催した初のアフリカ系アメリカ人女性

69歳の時に抽象画家として活動を開始

「今日では、偉大な科学者たちが宇宙飛行士たちを月に送れるというだけにとどまらず、誰もがカラーテレビというメディアを通じてそうした冒険のスリルを体感することができるのです。この現象のおかげで私の創造性が動き出しました」

——アルマ・トーマス

アルマ・トーマス

画家（1891-1978）

アルマ・トーマスは1891年、4人姉妹の長女としてアメリカ合衆国ジョージア州に生まれました。1907年、一家はよりよい暮らしを求めてワシントンDCに移り住みました。幼い頃、アルマは建築家になることを夢みていました。彼女はハワード大学に入学し、新しく創設された芸術課程に進み、1924年にこの大学史上初のファインアートの学位を授与されて卒業しました。同年、彼女はDCのショー中学校で美術教師として働きはじめました。彼女は教職の傍ら、写実的な様式で絵を描き続けました。▼アルマは1960年に退職し、それからは絵を描くことに専念しました。35年にわたる教師としてのキャリアを経て、彼女は新しい絵画を創造しようと決意していました。関節炎で痛む手首に悩まされながらも、彼女はあざやかな色を用いたリズミカルで抽象的な大作を描きはじめました。▼アルマは自宅の庭で太陽の光がカラフルな模様を生み出す様子や、ワシントンDCの街に植えられた花々に創作意欲を刺激されました。「地球」シリーズでは、あざやかな模様の円を描いた抽象画を何点か制作しました。「地球」は1966年にハワード大学で開催された展覧会に出品されました。この展覧会の成功をきっかけに、アルマの抽象画家としてのキャリアが軌道に乗りはじめました。▼またアルマは、それまでの生涯で見てきた目覚ましい技術の進歩にも大いに触発されていました。「私は19世紀末、馬車の時代に生まれ、20世紀の機械と宇宙の時代における驚異的な変化を体験したのです」と彼女が言っていた通りです。彼女は1969年のアポロ月面着陸の際、テレビ画面で色づいた小さな光の点によって自分が宇宙からの映像を直接見ることができるという事実に畏敬の念をおぼえました。ここから彼女の有名な「宇宙」シリーズの絵画が生まれました。このシリーズには「アポロ12号"落下"」（1970）や「星の夜と宇宙飛行士」（1972）などの作品があります。▼アルマの絵画はアメリカ中の人々を魅了しました。1972年には、彼女はホイットニー美術館で個展を開催した初の黒人女性となりました。アルマ・トーマスは1978年に亡くなるまでに、たくさんの栄誉と賞賛を受け取りました。アルマはその生涯の最後の18年間で、彼女の最も刺激的で重要な作品を描きました。彼女は何か新しいことに挑戦し、美しいものを作り出しはじめるのに遅すぎるということはないと証明してみせたのです。

「地球」シリーズはビザンティン美術のモザイク画にたとえられた

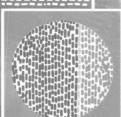

「スヌーピー 夕焼けに包まれる地球を見る」（1970）は、アポロ10号の月着陸船「スヌーピー」にちなんで名付けられた

1934年、コロンビア大学で修士号を取得

「ワッシ」（ハードエッジ／1963）、「スカイライト」（1973）、「復活」（1966）はオバマ大統領の在任中ホワイトハウスに飾られていた

「復活」は現在ホワイトハウスの常設コレクションに入っている

ハーレム・コミュニティ・アート・センターの初代ディレクター

人種差別と不正に対して立ち上がった

ハーレム・ルネッサンスの重要アーティスト

「もし私が、あの若者たちのうちの誰かひとりにでも自分の才能を伸ばそうとやる気を起こさせることができたのだとしたら、彼らの作品こそが私のいちばんの功績となるでしょう。それに勝るものはありません」——オーガスタ・サヴェイジ

オーガスタ・サヴェイジ

彫刻家・教師 (1892-1962)

オーガスタ・サヴェイジは1892年にアメリカ合衆国のフロリダで生まれました。彼女はまだ幼い頃からずっとアーティストになりたいと思っていたのですが、メソジスト教派の牧師だった父親は芸術作品を作ることは罪だと考えていました。オーガスタは自分で土を掘って見つけた赤粘土で動物の像を作りました。オーガスタは15歳で結婚し、1年後に彼女のたったひとりの子どもを授かりました。1919年、彼女は地元の陶芸家から粘土を譲り受け、ようやく大きな彫刻を制作できるようになり、地元のコンテストで入賞しました。彼女はアートの道に進むためにわずか4.60ドルをポケットに入れてニューヨークに出ました。1921年にはクーパー・ユニオン大学の奨学金を受け取りました。▼1923年、オーガスタはフランスの名門フォンテーヌブロー美術学校の夏期講座の参加者に選ばれました。到着した彼女の肌の色を見て、学校は招待を取り消しました。差別に慣慨したオーガスタは倫理文化委員会に申し立てをおこない、この件はアメリカの新聞に取り上げられましたが、それでも入学は拒否されました。彼女は自分の生活と家族への仕送りのためにクリーニング店で働きました。オーガスタはアフリカ系アメリカ人の英雄の胸像などの依頼を受けるようになり、すぐにアフリカ系の出自の人々の像を専門とする数少ない彫刻家のひとりとして知られるようになりました。1929年には、「ガミン」（フランス語で「浮浪児」を意味する）という少年の胸像を制作しました。彼女はこの小さな彫刻で名を上げ、またジュリアス・ローゼンウォルドの奨学金を獲得し、ようやくパリで学べることになりました。オーガスタはカーネギー財団の助成金でヨーロッパ中を旅しました。▼オーガスタは1932年、大恐慌の最中にニューヨークに戻ってきました。彼女は、アーティストを雇って公共芸術の制作などをおこなっていた政府機関の公共事業促進局（WPA）が提供する機会からアフリカ系アメリカ人が締め出されていることに気がつきました。彼女は、政府が資金を提供している壁画の制作に黒人アーティストが雇用され、黒人の歴史が描かれることを要求して闘いました。オーガスタは1937年にハーレム・コミュニティ・アート・センターが設立されるのを支援し、初代ディレクターを務めました。彼女は自分の真の業績はアートを他の人たちに教えたことになるだろうと信じていました。オーガスタは1962年に亡くなりましたが、今日ではハーレム・ルネッサンスと呼ばれる黒人たちの文化・芸術運動の英雄として知られています。

1931年、彼女はカーネギー財団の助成金を得て、8ヶ月間フランス、ベルギー、ドイツを旅して学んだ

高さ約5メートル

1939年のニューヨーク万国博覧会のために「ハープ」という彫刻を作った。これはジェイムス・ウェルドン・ジョンソンの詩「すべての声をあげて歌え」に感化された作品

1952年、ハーレムに芸術と工芸のためのサヴェイジ・スタジオを設立

1934年、全米女性画家・彫刻家協会の最初のアフリカ系アメリカ人会員になった

W・E・B・デュボイスなどのアフリカ系アメリカ人の英雄たちの胸像を制作した

全米女性殿堂(でんどう)に入っている

彼女(かのじょ)の作品はドキュメンタリーとジャーナリズム写真を永遠に変えた

アメリカの歴史上重要な瞬間(しゅんかん)を写真に捉(とら)えた

「見ることは単なる生理学的現象ではありません……私(わたし)たちは私たちの目のみによって見ているのではなく、私たちの存(そん)在と文化のすべてによって見るのです。アーティストはプロの見る者なのです」——ドロシア・ラング

ドロシア・ラング

写真家（1895-1965）

史上最高に重要なドキュメンタリー写真家のひとりであるドロシア・ラングは、1895年にアメリカ合衆国のニュージャージー州で生まれました。1919年、彼女はサンフランシスコで肖像写真スタジオを立ち上げました。彼女はそのキャリアを通じて、アメリカの歴史における重要な瞬間の数々をカメラで捉えました。▼大恐慌時代には、アメリカ中で膨大な数の人々が仕事を失いました。ドロシアは地元で食糧配給の列に並ぶ人々や労働者のデモの写真を撮りました。彼女は「ホワイト・エンジェル・ブレッドライン」（1933）などの作品を展覧会に出品しました。これらの写真がきっかけとなって、ドロシアは1935年に再定住局（後に農業安全局［FSA］と呼ばれることになる）に雇われました。彼女はFSAのために国内を旅して、ダストボウルから逃れるために西部へ向かう出稼ぎ労働者たちの写真を撮影しました。ダストボウルとは1930年代に大恐慌をさらに悪化させた農業危機のことです。長期間の干ばつが当時の中西部の悪質な農法と組み合わさって、土壌が使いものにならない状態になってしまいました。多くの家族が飢餓と貧困から逃れるために荷物をまとめてカリフォルニアへと向かいました。ドロシアの写真は、ダストボウルの影響を記録した最初期のものでした。彼女は被写体の尊厳や人間性を犠牲にすることなく、厳しい状況と絶望をアメリカの他の地域の人々に伝えました。▼第二次世界大戦中、日本軍が真珠湾を攻撃したのを受けて、アメリカ政府は日系のアメリカ市民を強制的に収容所に入れました。1942年、ドロシアはこうした収容所での生活を記録しはじめ、そこでの家族や子どもたちの様子を撮影しました。これらの写真はすぐに米軍の検閲を受けましたが、今日では一般に公開されており、アメリカの歴史における恥ずべき瞬間を正確に伝えるために使われています。▼1945年、ドロシアはポリオが再発したために体調を崩しました。痛みと疲労を抱えながらも、彼女は仕事を続け、世界中を旅しました。人生の終わりに近づいて、彼女はニューヨーク近代美術館（MoMA）での回顧展の準備をはじめました。1965年、ドロシアは70歳でこの世を去り、その翌年に回顧展が開かれました。ドロシア・ラングは、彼女の写真の一枚一枚に他者への共感と真実を提示し、ドキュメンタリー写真がひとつの表現形態として確立されるのに貢献しました。

彼女は写真撮影のためにアジア、中東、南アメリカを旅した

彼女のダストボウルの写真は『怒りの葡萄（ぶどう）』の映画化に影響を与えた

雑誌『ライフ』に何本かのフォトエッセイを寄稿

MoMAで個展が開催された6番目の写真家であり、女性の写真家では初

「出稼ぎ労働者の母」（1936）はダストボウルの代表的なイメージとなった

書籍『拘束されて：ドロシア・ラングと検閲された日系アメリカ人強制収容の写真』は2008年に刊行された

機械織りのための合成繊維と
製織技術の開発に貢献

彼女のテキスタイルは建築家や
インテリアデザイナーたちに
利用されてきた

"現代織物の母"と
呼ばれている

「彼女以前に誰も成し得なかったところまでテキスタイルの地平を広げたという意味において、彼女はおそらく今日最も
偉大な織物作家だろう」──雑誌『ハウス＆ガーデン』より

ドロシー・リーベス

テキスタイルデザイナー、織物作家、実業家（1897-1972）

ドロシー・リーベスは1897年、アメリカ合衆国のカリフォルニア州に生まれました。彼女はサンノゼ州立師範学校とカリフォルニア大学バークレー校で教育、人類学、美術を学びました。ある教授に彼女の絵は織物のように見えると言われたのをきっかけに、ドロシーは持ち運びできる小型手織り機の使いかたを独学しはじめました。1920年、ドロシーはシカゴのハル・ハウスで機織りを学びました。彼女はその後もメキシコ、グアテマラ、イタリア、フランスなど世界中を旅して、さまざまな種類の伝統的な機織りの技術を学びました。▼1934年、ドロシーはサンフランシスコで自分のテキスタイル会社をはじめました。事業が成長するにつれ、彼女は他の機織り職人たちを雇うようになり、ニューヨークにふたつめの工房を開きました。1948年には最初のオフィスを畳んで、ニューヨークに事業の拠点を移しました。▼ドロシーのテキスタイルは明るく遊び心があり、メタリックファイバー、レザー、スパンコール、紙テープなどの珍しい素材がよく使われていました。まるでカラフルなモダンアートのような彼女の織物見本をもとに、布地が大量生産されたのです。ドロシーのテキスタイルは、アメリカ中の重要な建築物の床や壁を覆うのに使われ、彼女はフランク・ロイド・ライトやエドワード・デュレル・ストーンなどの有名建築家たちと仕事をしました。彼女の主な仕事には、国連のダイニングルーム、プラザ・ホテルのペルシアンルーム、サウジアラビア国王の移動式の玉座の間のために特注されたテキスタイルなどがあります。▼ドロシーは、デュポンやダウといった大手化学会社やビグロー・カーペット社で色とデザインのコンサルタントを務めました。ドロシーは機織りの経験を生かして、企業が製造した合成繊維の布地の見た目と感触が適切なものになるよう指導しました。彼女は手織りによって生まれる凹凸や嬉しい偶然を、機械織りでも再現できるようにすらしたのです。彼女はたとえ機械が作業をおこなうとしても、人間の手触りが失われないようにしたかったのです。▼現在、広く使用されている布地の多くはドロシーの影響を受けています。彼女は、いにしえの工芸を現代に組み込むことに貢献しました。彼女は生涯事業の経営を続けましたが、1971年、心臓の不調から非常勤になりました。彼女はその1年後に亡くなりました。今日、ドロシーは「現代織物の母」として知られています。

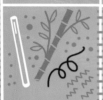

ガラスの棒、竹、草、針金といった変わった素材を織物に使った

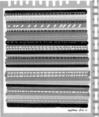

彼女のデザインはニューヨーク近代美術館（MoMA）を含む多くの主要博物館で展示されている

彼女の作品はクーパー・ヒューイット・スミソニアン・デザイン博物館をはじめ、多くのコレクションに収蔵されている

彼女は1939年のシカゴ万国博覧会で、装飾美術部門のディレクターを務めた

第二次世界大戦中、赤十字のアートセラピー・プログラムの一環として、負傷兵たちに機織りを教えた

American Craft Council

1970年、アメリカ工芸協会の金メダルを授与された

狂騒の20年代のきらびやかなエリートたちやヌードの人物を描いた

アール・デコ時代の精神を象徴するアーティスト

キュビズムと新古典主義を組み合わせ彼女らしく磨き抜かれた絵画を生み出した

「私は社会の周縁で生きており、普通の社会のルールはそうした外れ者たちには適用されないのです」
——タマラ・ド・レンピッカ

タマラ・ド・レンピッカ

画家（1898-1980）

「総合的キュビズム」様式で絵画を描いたアンドレ・ロートが彼女のメンターで、大きな影響を受けた

1929年に描かれた「オートポートレート」はタマラの代表作

マドンナは自分のミュージック・ビデオにたびたびタマラの作品を登場させている

タマラ・ド・レンピッカは1898年、当時ロシア帝国の一部だったワルシャワで生まれました。彼女の家族はとても裕福でしたが、1917年のロシア革命ですべてが変わりました。家族が亡命しても、タマラと夫のタデウシュ・レンピッキはサンクトペテルブルクを離れようとしませんでした。やがてタデウシュは警察に連行され、タマラは彼が刑務所から安全に釈放されるよう交渉しなければなりませんでした。ふたりはまもなくパリに移住しました。タマラは娘を出産しましたが、タデウシュは憂鬱に沈んで働くことができなくなり、困窮したタマラは持って生まれた絵の才能で家族を養っていこうと決意しました。▼タマラは1918年、グランド・ショミエール芸術学校で美術を学びはじめました。1925年にはミラノやパリの公募展に入選し、『ハーパーズ・バザー』などの雑誌でも注目を集めるようになりました。タマラの作品は1920年代の魅惑的な世界から生まれていました。当時のアール・デコのデザインや建物と同様に、彼女の絵画はつややかに洗練され、装飾性が高く、何より新しい技術と富を讃えていました。彼女は美しいモデルや欧米の超富裕層の上流階級エリートの人々を描きました。彼女はよく、高層ビル群を背景に力強くそびえ立つ人物を描きました。タマラの作品は大人気となり、大金持ちのピエール・ブシャール博士が彼女の強力なパトロンになりました。彼を顧客にして、タマラ自身もお金持ちになりました。彼女は特注の邸宅を購入し、豪勢なパーティーを開き、最高級の宝石や毛皮を身につけました。タマラは絵画の中に贅沢な場面を創り出したように、自分自身の公の顔もこの退廃の時代にふさわしいものにしたのです。▼1928年、タマラはタデウシュと離婚し、1934年にラウル・カフナー男爵と再婚しました。1939年、彼女は友人を訪ねてドイツに旅に出ました。片親がユダヤ人だったタマラはそこで反ユダヤ主義を目の当たりにし、ナチス政権下のドイツの変わりように心を乱されました。彼女はヨーロッパを離れてアメリカに移住するべきだと夫を説得しました。タマラは絵を描き続けましたが、アート界での存在感は次第に薄くなっていきました。しかし彼女は後に再発見され、1973年にはパリのルクセンブルク・ギャラリーで回顧展が開催されました。彼女のアール・デコ絵画は大成功を収めました！ そして彼女は1980年に亡くなりました。今日でも彼女の作品は上流階級の人々やセレブリティたちに蒐集されています。

「自分は9時間続けて絵を描く、ただしシャンパン、マッサージ、そしてお風呂休憩をはさんで」と語った

「サル公爵夫人の肖像」（1925）

彼女はバイセクシュアルであることを公表し、サル公爵夫人やアンドレ・ジッドといった同性愛者の人々を描いた

「思うに、アートの存在を軽んじることは、単にアートを軽んじるということではありません。それは文明を軽んじるということを意味します」──ルイーズ・ネヴェルソン

ルイーズ・ネヴェルソン

彫刻家(1899-1988)

彼女の作品は
第31回ヴェネチア・
ビエンナーレで
展示された

「黒い壁」(1959)
ルイーズが
彼女の
ウォール・アートを
"環境"と
呼んだのは、
それらが見る者を
単色の感触、
空間、深みに
迷い込むよう
誘うから

「ドーンの
結婚披露宴」
(1959)が
彼女にとって
最初の白い
"環境"だった

1899年にロシアで生まれた**ルイーズ・ネヴェルソン**は、1905年に一家でアメリカに移住しました。ルイーズはメイン州で育ち、幼い頃からいつか有名になると心に決めていました。1920年、彼女は海運会社を所有するお金持ちのチャールズ・ネヴェルソンと結婚し、ニューヨークに引っ越しました。2年後、ルイーズは彼女の唯一の子どもを出産しました。そして1931年にチャールズと別れました。▼ルイーズはニューヨークでオペラ、パフォーミング・アーツ、絵画を学びました。日々の暮らしに苦労することになりましたが、彼女は芸術の世界に身を投じました。彼女はドイツ映画のエキストラとして働いたり、ディエゴ・リベラがロックフェラー・プラザに壁画を描くのを手伝ったりと、臨時雇いの短期仕事をたくさんこなしました。1941年、ルイーズはニューヨークのニーレンドルフ・ギャラリーで初の個展を開催しました。ルイーズは真剣にアーティストとして活動し、いくつものギャラリーで作品を発表しましたが、作品が初めて売れるまでに30年かかりました。▼1950年代になって、ルイーズは廃材を集めながら街を歩き回り、見つけた"ガラクタ"を使って彫刻を作りはじめました。彼女は木枠や古いベッドの支柱、モールディング（刳形）を重ねて、大きな壁のサイズの"環境"を作り、それを自分のお気に入りの色である黒に塗りました。ルイーズは黒が好きな理由を、「そこにはすべての色が含まれていました。色の否定ではありません。それは受容でした。黒はすべての色を包含しているのです」と説明しています。白や金色の作品を制作することもありました。1958年、ルイーズは「空のカテドラル」と呼ばれる壁シリーズの最初の作品を発表しました。1958年から59年の冬には、ニューヨーク近代美術館（MoMA）で新作を発表しました。これは大躍進の瞬間となり、批評家たちは彼女の「暗闇と深い影の制御」を褒め讃え、その彫刻を「新たな可能性の領域を切り拓いた」と評価しました。ルイーズは大評判になりました！▼ルイーズがようやくアートの制作だけで生活できるようになったのは、60代になってからでした。世界的に有名な美術館でたくさん展覧会を開き、1967年にはニューヨークのホイットニー美術館で大規模な回顧展を開催しました。ルイーズは1988年に亡くなるまで作品を作り続けて、数々の賞を受賞しました。彼女の彫刻や壁掛け作品は、アメリカ中の公共空間や一流のギャラリーで見ることができます。

彼女の父親は
材木置場を
所有しており、
ルイーズは
子どもの頃よく
廃材で
遊んでいた

高齢になってから
鋼鉄、
プレキシガラス、
アルミを
使うようになった

私はフツパー
がある！

家族とは
イディッシュ語
を話して育った
（フツパーは「度胸」の意）

アート界の統計

女性は人口のおよそ半分を占め、現在では美術学校の学生の過半数が女性になっているにもかかわらず、プロのアート業界での女性の扱いは依然として公正ではありません。以下はファインアートの世界における、表象、報酬、権力に関する男女の非対称性を示す統計です。

 オークション

史上最高額で落札された
男性アーティストの作品

史上最高額で落札された
女性アーティストの作品

2017年に
4億5030万ドル
で落札

「サルヴァトール・ムンディ」
レオナルド・ダ・ヴィンチ
（1500頃）

2015年に
3億ドルで落札

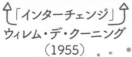

「インターチェンジ」
ウィレム・デ・クーニング
（1955）

2011年に推定
2億5000万ドル
で落札

「カード遊びをする人々」
ポール・セザンヌ（1892）

2014年に
4440万ドル
で落札

「朝鮮朝顔／白い花No.1」
ジョージア・オキーフ
（1932）

2015年に
2820万ドル
で落札

「蜘蛛」
ルイーズ・ブルジョワ
（1996）

2014年、
1190万ドル
で落札

「無題」
ジョアン・ミッチェル（1960）

美術館長のジェンダーギャップ（2016年）

これらの統計はアメリカ合衆国の美術館長協会（AAMD）と
国立美術研究センターの2017年の報告から

大型美術館
（予算1500万ドル以上）

美術館館長の30%が女性

美術館館長の70%が男性

2016年、女性館長の報酬は男性館長の

75%

小型美術館
（予算1500万ドル未満）

美術館館長の46%が男性

美術館館長の54%が女性

2016年、女性館長の報酬は男性館長の

98%

ゲリラ・ガールズ——統計による主張

アート業界のジェンダー不平等にうんざりした匿名の女性アーティストたちのグループ「ゲリラ・ガールズ」は、統計をアート・アクティヴィズムにしてみせました！　彼女たちの有名な作品、ニューヨークのメトロポリタン美術館におけるジェンダー不平等を示した看板があります。何人の女性アーティストの作品が取り上げられているかと女性の体のヌードがどれだけ展示されているかを数えたのです。ゲリラ・ガールズは世界中で女性アーティストたちを組織化し、アートにおけるジェンダーの平等のために闘うプロジェクトを企ててきました。

公の場に現れる時はいつもゴリラのマスクをかぶってるんだ

ゲリラ・ガールズによるメトロポリタン美術館の調査によれば

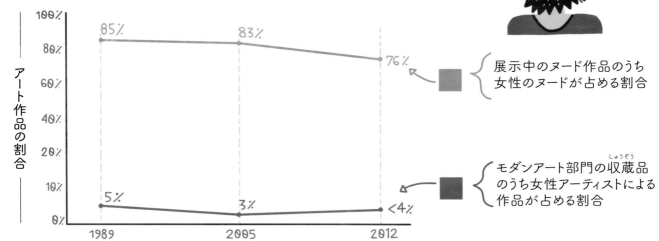

アート作品の割合

100%
80%
60%
40%
20%
0%

85%　83%　76%

展示中のヌード作品のうち女性のヌードが占める割合

5%　3%　<4%

モダンアート部門の収蔵品のうち女性アーティストによる作品が占める割合

1989　2005　2012
年

1994年にインダストリアルデザイナー・ソサエティ・オブ・アメリカの功労賞を授与された

インダストリアルデザイナーとして有名になった初の女性として認められている

プラスチックをいちはやく使用したインダストリアルデザイナーのひとり

「デザインは自然に出てくるものではありません。それは開発されるものです。実務、絵画、色彩の研究、そして構造、機械、製造上の問題への関心、すべての要素がまるでパズルのように収まるのはすばらしいなと私は思ったのです」――ベル・コーガン

ベル・コーガン

インダストリアルデザイナー（1902-2000）

私は信じています、よいデザインは顧客をしあわせにすることを…

…そして製造元を黒字にすることも

彼女は自分のデザインが、美しいのと同時に機能的かつ製造元にとって費用効率のよいものになるようにしていた

ベークライトは合成物質から生み出された世界初の合成樹脂であり、ベルはこれをまっさきに利用したデザイナーのひとり

ベル・コーガンは1902年にロシアで生まれ、4歳で家族と共にアメリカに移住しました。ベルは7人のきょうだいと一緒にペンシルベニア州アレンタウンで育ちました。高校の最終学年で機械製図の授業を受け、インダストリアルデザインこそ自分の天職だと悟りました。彼女は身につけた技術で製図を教え、大学に進むためにお金を貯めました。しかし、大学はわずか1学期で退学を余儀なくされました。なぜなら彼女は家族の生活を支えるために父親の宝飾店で働かなければならなかったからです。ベルは時間を見つけてアート・スチューデンツ・リーグの講座を受講しながら、ジュエリーのデザインをはじめました。▼1920年代後半、ベルはクエーカー・シルバー社の社長と出会いました。彼はベルのデザイン技術に感銘を受け、彼女はこの会社のためにフリーランスとして銀や錫のオブジェをデザインするようになりました。ベルは製図技術のおかげで、量産可能な製品の設計図を描くことができました。1931年頃、ベルはニューヨークに自分の事務所を開きました。当時、インダストリアルデザイン業界は男性に独占されており、多くのメーカーは女性と仕事をしたがりませんでした。あるオハイオ州の機械工場は彼女が男性だと思い込んでいて、書面でデザインを承諾したにもかかわらず、直接会って彼女の姿を見るなり取引を拒否した、とベルは回想しています。開業したばかりの頃はこのように「無慈悲に意気消沈させられた」と彼女は述べています。▼はじめのうちは苦労したものの、ベルは洗練された幾何学的なプラスチック製テーブルセット、風変わりな時計、おしゃれなベークライト製ジュエリーで知られるようになりました。彼女は女性たちが男性デザイナーから無視されていることをよく知っており、「潜在的な顧客であり、実際に国全体の購買構造を構成している3000万人の女性たちは、無視できない、あるいは無視してはならない力を持っています」と述べました。1939年までにベルの事業は大繁盛となり、3人の女性デザイナーを雇うことができました。▼そのデザインと優れた経営能力により、ベルはアメリカ初の女性インダストリアルデザイナーとして同業者のリーダー的存在になりました。1930年代後半には、アメリカン・デザイナーズ・インスティテュート（ADI）のニューヨーク支部の創設メンバーとなりました。彼女は2000年に亡くなりましたが、デザインの分野の先駆者として記憶されています。

彼女の事務所はレッドウィング陶器、リビー（ガラス食器会社）、リード＆バートンなど、たくさんの有名企業の仕事を請けていた

彼女はテレクロン社のために"ガーガー"あひる時計をデザインした

たくさんのインタビュー、講義、テレビ出演をおこなった

革命後のメキシコ・ルネッサンス期の人々の暮らしを
記録した重要な写真家

メキシコでいちはやく
プロ写真家になった女性のひとり

50年にわたるキャリアで撮影した
ストリート・フォトはメキシコの人々と
"心"を記録した

「もし私の写真に何らかの意味があるとしたら、それらがかつて存在したメキシコを象徴するものであるということです」
——ローラ・アルヴァレス・ブラーヴォ

ローラ・アルヴァレス・ブラーヴォ

写真家（1903-1993）

ローラ・アルヴァレス・ブラーヴォは1903年にメキシコで生まれました。幼い頃に両親が離婚し、彼女は父親と一緒に小さな町ハリスコから大きくにぎやかなメキシコシティへと引っ越しました。8歳で父親が亡くなってからは親戚に育てられました。彼女は1925年に幼なじみのマヌエル・アルヴァレス・ブラーヴォと結婚しました。マヌエルはプロの写真家で、ローラは助手として暗室で彼を手伝いました。ローラは写真家のエドワード・ウェストンとティナ・モドッティに影響を受け、しょっちゅうマヌエルの機材を使って自分の作品を撮影していました。1934年に離婚すると、ローラは自分と7歳の息子を養うために写真の仕事をはじめました。▼1930年代半ば、ローラはメキシコの教育大臣を撮影する機会に恵まれました。彼はローラの仕事ぶりに感銘を受けて、みんなに彼女の写真を見せたそうです！ まもなくローラは雑誌『エル・マエストロ・ルーラル（地方教員）』の主任写真家になりました。彼女は学校や孤児院から農場や消防署まで、あらゆるものを撮影しました。メキシコにおいて女性は室内に留まっているものとされていた時代に、ローラは外で生きる人々の姿をありのままに捉えました。「カメラを持って路上をうろうろしている女性は私だけで、他の記者たちはみんな私を笑いものにしました。だから私は闘う者になったのです」と彼女は回想しています。それから50年間、ローラは肖像写真、フォトジャーナリズム、商業写真の仕事を手掛けましたが、最高傑作は個人的に撮影した作品とされています。▼1944年、彼女は初の個展を開きました。たとえば「プロピアカルセルにて」（1950）のように、ローラの写真の多くは光と影のドラマチックなコントラストを見せています。「（私が捉えたのは）まるで電気のように、深く感銘を受け、思わずシャッターを押したイメージです。偉大な芸術的センスや、偉大な美しさと光や何かだけでなく、そこにはユーモアのセンスも、遊び心のようなものもあり、それはとてもメキシコらしいのです……」と、彼女は語りました。ローラはメキシコの"心"を見せたいと願っていたのです。▼ローラは1982年、79歳で視力を失うまで写真を撮り続けました。彼女は1993年に亡くなりました。現在、ローラ・アルヴァレス・ブラーヴォの膨大な写真作品は、いくつもの立派な美術館の壁を飾っており、彼女のカメラで永遠の命を与えられたメキシコの歴史の断片を誰もが見ることができるのです。

普段、人々がギャラリーで作品を鑑賞する機会が少ない田舎を巡回する写真展を企画した

フリーダ・カーロをはじめたくさんの有名なアーティストを撮影した

「貧者の夢」
（1949）

写真を使って、まだ起こったばかりのメキシコ革命で暴力の影響を受けた人々や貧しい人々を思いやるよう促した

メキシコシティの国立美術館で写真部門のディレクターを務めた

1951年から1958年まで自分のギャラリーを運営し、そこでのフリーダ・カーロ展はフリーダがメキシコで開催した唯一の個展となった

「コンピュータドーラ1」
（1954）

ローラはフォトモンタージュ（コラージュ）の実験もおこなった

1970年にアメリカ合衆国文化
大使としてアフリカを訪れた

長期にわたって仕事を続け、
さまざまな様式の絵画を描いた

フランス印象派、ハイチのアート、
アフリカのモチーフとデザイン
から影響を受けた

「私がするのは静かな探究です——色、質感、デザインの新たな意味を探る旅。私は苦闘する貧しい人々の暮らしを描
写することもありますが、やはり絵を描くことは大いなる喜びなのです」——ロイス・メイロウ・ジョーンズ

ロイス・メイロウ・ジョーンズ

画家・デザイナー・教師（1905-1998）

アートの教授に
なる前に、
いくつかの
テキスタイル会社の
ために抽象的な
模様をデザインした

1984年7月29日、
ワシントンDCで
ロイス・ジョーンズ
の日が制定された

アルマ・トーマス、
エリザベス・
キャトレット、
デヴィッド・ドリスケル
などの有名
アーティストたちを
教えた

ロイス・メイロウ・ジョーンズは1905年、アメリカ合衆国ボストンの中産階級の家庭に生まれました。両親は娘が才能に恵まれていることに気づいて、アートの道に進むのを応援しました。ロイスは1927年にボストン美術館学校を卒業し、さらに勉強を続けました。1930年にはハワード大学に雇われ、そこで47年間にわたって美術の教授として教鞭を執りました。▼1930年代前半、ロイスは写実的な肖像画の可能性を探り、活気にあふれ様式化された作品でハーレム・ルネッサンスを盛り上げました。しかし、黒人のアーティストには平等な機会が与えられていませんでした。当時、人種分離法は学校や企業がアフリカ系アメリカ人を排除することを認めており、大勢の黒人アーティストが自分の才能が評価されないことにうんざりして海外に渡りました。1937年、ロイスは大学の長期有給休暇をパリで過ごしました。パリ滞在中には印象派に影響を受け、フランスの田園風景や街並みを描きました。彼女の作品は熱狂的に迎えられました。当時、ヨーロッパのアーティストたちはアフリカの部族のアートから強く影響を受けていたのです。ロイスはこの時にもうアフリカの仮面をよく知っており、代表作「レ・フェティシュ」（1938）でそれを取り上げています。▼ロイスは刺激的な新作を携えてアメリカに戻ってきましたが、やはり差別を経験しました。作品がギャラリーに受け入れられても、彼女が黒人であることがわかると展示を拒否されました。そこでロイスは、美術館やギャラリーに自分の作品を郵送するようにしました。ギャラリーに足を運んでも、人々は壁に掛けられた作品を描いたのが彼女だということにまったく気づかなかったとロイスは回想しています。▼1950〜60年代における公民権運動の苦闘と前進によって、黒人アーティストはより多くの人々に認められるようになりました。1970年、ロイスはアメリカ合衆国情報庁公認の文化大使に任命され、アフリカ11ヶ国の美術館を訪れて講演をおこないました。また、ロイスは夫のハイチ人アーティスト、ルイ・ヴェルニュー・ピエール＝ノエルと一緒にハイチにも何度も旅しています。ロイスはアフリカとハイチ両方のアートに感動し、明るい模様や抽象的なかたちを作品に取り入れました。▼ロイスは生涯を通じて数多くの賞を受賞しています。ロイス・メイロウ・ジョーンズは、アート界の人種差別と戦った先駆者として記憶されています。そうして彼女は他の黒人アーティストたちのための空間を創り出したのです。

おおー！

彼女の作品は
メトロポリタン美術館、
スミソニアン博物館、
ハイチ王宮、
米国アフロ・
アメリカン・
アーティスト美術館
など多くの
美術館に
収蔵されている

「タイ地方の
ウビ族の少女」
（1972）
は彼女がアフリカの
旅に触発されて
描いた重要作品の
うちのひとつだ

マン・レイと
シュールレアリスム写真を共同制作

第二次世界大戦中には
従軍記者を務めた

強制収容所でのユダヤ人迫害
の実態を暴く写真を他に
先んじて世に出した

「思いがけずそこで戦闘が起こった時、女は何をするべきか？　私はごく自然に写真を撮りました」──リー・ミラー

リー・ミラー

写真家（1907-1977）

エリザベス・"リー"・ミラーは1907年にニューヨークで生まれ、幼い頃から写真に興味を寄せていました。アート・スチューデンツ・リーグに通っていたある日、彼女は、向かってくる路面電車にはねられたところをコンデ・ナストに助けられました！雑誌『ヴォーグ』の発行人だった彼は、リーを編集長のエドナ・ウールマン・チェイスに紹介しました。エドナはリーを『ヴォーグ』1927年3月号の表紙に抜擢し、彼女は1920年代後半、ファッションモデルとしてひっぱりだこになりました。▼1929年、リーはニューヨークを離れてパリに向かいました。そこではシュールレアリスムのアーティストたちが、かつて誰も見たことのない奇妙なイメージを創り出していました。リーはマン・レイのスタジオを訪れ、シュールレアリスム写真の秘密を教えてほしいと頼みました。ふたりは共同作業から新しい写真技術を発見し、人体を歪ませたり、小道具を使って現実にありえない夢のような舞台設定を編み出したりしました。リーはしょっちゅうカメラの前に立ってモデルをしていました。1932年、リーはニューヨークに戻り、肖像写真スタジオを立ち上げて成功を収めました。ひとつの場所にじっとしていられない彼女はニューヨークを離れてカイロに向かい、3年にわたってエジプトで暮らしました。そこで彼女は何度も砂漠の旅に出かけ、写真を撮影しました。▼第二次世界大戦が開戦した1939年、リーはロンドンに住んでいました。ドイツ軍の爆撃を目撃した彼女は、ヘルメットをかぶりカメラを手に取って混乱状態の真っ只中に飛び込みました。彼女は『ヴォーグ』の公式戦争特派員として活躍し、戦時下のイギリスのにわかには信じ難い光景を捉えました。1942年には米軍の従軍記者として認定され、1946年まで戦争とその余波を撮影しました。彼女はパリ解放やドイツのあちこちでの戦闘を記録しました。リーはブーヘンヴァルトとダッハウで強制収容所とユダヤ人大量虐殺の恐怖を撮影した写真家の第一陣のひとりでした。彼女の仕事はホロコーストの惨状を世に知らしめる助けとなりました。▼戦後、リーは夫のローランド・ペンローズとのあいだに子どもをもうけました。1970年代まで折々に写真家として活動していましたが、戦争による心的外傷後ストレス障害（PTSD）に悩まされました。晩年はシェフとなり、友人たちのために手の込んだごちそうを料理しました。リー・ミラーは1977年に亡くなり、遺された膨大な数の作品の発掘が現在もなお続けられています。

1941年、エジプトで撮影した写真がニューヨークのMoMAで展示された

1970年代、イギリスの田園地帯にあった彼女の家には、友人たちやパブロ・ピカソ、マックス・エルンスト、マン・レイといった有名なアーティストがたくさん訪れた

1944年、連合国軍がヨーロッパに進軍した際、リーは最前線で活動する唯一の女性フォトジャーナリストだった

シュールレアリスト・グルメの料理人として、緑のチキン・マシュマロ・コーラソース添えといった料理やエリザベス朝のごちそうを作った

メキシコのフォークアートとマジックリアリズムを組み合わせた

歴史上で最も有名なアーティストのひとり

アイデンティティ、ジェンダー、階級、人種についてアートで考える

「私は私自身の現実を描きます。私に唯一わかっているのは、私が描くのは私がそれを必要としているからであり、自分の頭に浮かんだものなら他のことは考えずに何でも描くということです」——フリーダ・カーロ

フリーダ・カーロ

画家（1907-1954）

「ふたりのフリーダ」（1939）

ディエゴとフリーダは「象と鳩」とあだ名された

1950年、右足に壊疽（えそ）が生じ、切断を余儀なくされた。彼女は義足を装着した

メキシコシティでの個展会場では彼女の家族や友達やヒーローたちの写真と鏡で自ら装飾したベッドに横たわった

フリーダ・カーロは1907年7月6日、メキシコシティ近郊の小さな町で生まれました。6歳でポリオに感染し、右脚に回復不可能な損傷を負いました。しかしフリーダはレスリングなどのスポーツを楽しみました。彼女は絵を描くのが好きでしたが、科学と医学の勉強に力を入れました。18歳になってバスの衝突事故で酷く痛めつけられて、彼女の人生は一変します。フリーダは治療のため全身ギプスで固定され、何ヶ月も動けない状態のまま病院で過ごしました。その間の暇つぶしに、ベッドに横になったまま絵を描くことができるよう、家族が特製のイーゼルを作ってくれました。フリーダはこの時、自分の人生を芸術に捧げようと決意しました。フリーダは生涯ずっと慢性的な痛みを抱え、数えきれないほどの手術に耐えました。フリーダは彼女の精神的および肉体的な痛みを、最高に美しい絵画を生み出すインスピレーションにしたのです。▼

大怪我から回復すると、フリーダは1927年にメキシコ共産党の党員となり、翌年に有名な壁画家のディエゴ・リベラと出会いました。ふたりは1929年に結婚し、メキシコの超有名カップルとなりました。ディエゴは政治活動と芸術で知られていましたが、フリーダは主に彼の妻として認知されました。しかしフリーダは自分自身の政治活動と芸術を続けました。ディエゴとフリーダの関係は複雑で問題が多く、ふたりの愛の痛みと喜びはフリーダの作品の大きなテーマとなりました。またフリーダは、女性として自分が何者であるかを探求する自画像をたくさん制作しました。これらの作品で、彼女は堂々と西洋の美の基準を拒絶し、自身が先住民族メスティサから受け継いだものを讃えています。これは彼女の衣服の選択、ひげを剃っていない美しい顔、メキシコ的な図像や象徴の使用からも明らかです。▼彼女の作品は1938年、ニューヨークで開いた初の個展の成功をきっかけに知られるようになり、翌年にはルーヴル美術館が彼女の作品を購入しました。その後10年間、彼女はアーティストとして上り調子でしたが、健康は衰えていきました。1953年、彼女はついにメキシコシティで個展を開催しました。体調が優れずギャラリーで立ち続けていることができないほどで、ベッドに横たわって訪れる人々を迎えました。翌年、彼女は47歳で亡くなりました。今日、フリーダの絵画は世界中から賞賛を集めており、彼女の名前はフェミニズムを象徴するものとなっています。

アメリカの大衆向け定期刊行物史上初の女性アートディレクター

ニューヨークのアートディレクター協会初の女性会員

『グラマー』『セブンティーン』『チャーム』『マドモアゼル』等の雑誌のアートディレクター

「私たちは偽りの魅惑のくたびれた常套手段を用いることなく、ありふれたものを魅力的にしようと試みました。おとぎの国のキラキラに対抗し、現実の魅力を伝えようとしたと言えるかもしれません」——シーピー・ピネレス

シーピー・ピネレス

グラフィックデザイナー・アートディレクター（1908-1991）

『ヴォーグ』
ニューヨーク版に
加えロンドン版
（1932-38）
の仕事も手掛けた

1961年から
1972年まで
リンカーン・センター
のデザイン
コンサルタントを
務めた

じゃがいも料理の
記事の
イラストと
レイアウトで
アート
ディレクターズ・
クラブの
金賞を受賞

シーピー・ピネレスは1908年、オーストリアのウィーンに生まれました。13歳の時に一家でアメリカ合衆国ニューヨークのブルックリン地区に移住しましたが、強いオーストリア・ドイツ語訛りは生涯消えませんでした。シーピーは1929年にプラット・インスティテュートを卒業し、1931年にデザイン会社コンテンポラに採用されました。雑誌・メディア業界の大物コンデ・ナストは、シーピーが同社で制作した店舗ディスプレイに興味を持ちました。彼はたいへん感銘を受け、シーピーを『ヴォーグ』や『ヴァニティ・フェア』のデザイナーとして採用しました。▼シーピーはたいへん要求水準の高いアートディレクター、メヘメッド・フェイミー・アガのアシスタントとして働きました。アートディレクターはすべてのデザイナー、イラストレーター、写真家の仕事に統一感を持たせ、雑誌全体の視覚的な要素を監修します。アガはシーピーが偉大なエディトリアルデザイナーになれるよう鍛えました。1942年、シーピーは昇進して『グラマー』のアートディレクターに就任しました。▼1947年、シーピーは『セブンティーン』のアートディレクターになりました。当時、若い女性向けの雑誌の多くは、読者たちは結婚を夢みているものと決めつけていました。しかし、『セブンティーン』は違いました。創刊編集長ヘレン・ヴァレンタインは、さまざまなロールモデルを提示し、若い女性たちを教育したいと考えていました。シーピーは野心的な若い女の子たちに向けて、新しい時代らしい洗練されたデザインを創り出しました。シーピーは続いて"働く女性のための雑誌"『チャーム』と、『マドモアゼル』のアートディレクターにも就任しました。彼女はこれらの雑誌で独立した女性のイメージを進化させることができたのです。▼シーピーはたくさんの賞を受賞したアートディレクターとして常に尊敬され、アメリカグラフィックアーツ協会（AIGA）の理事も務めました。にもかかわらず、ニューヨークのアートディレクターズ・クラブ（ADC）は女性の入会を拒否していました。同じくグラフィックデザイナーだったシーピーの夫の抗議を受け、彼らは方針を変えました。ADCは1948年にシーピーを初の女性会員として迎え、1975年に彼女はADC殿堂入りを果たしました。シーピー・ピネレスは1991年に亡くなるまでデザイン界に貢献し続けました。没後の1996年には、彼女の60年にわたる卓越したキャリアを讃えてAIGAメダルが授与されました。

1963年、
パーソンズ・スクール・
オブ・デザインで
教えはじめた

アンディ・ウォーホルや
アド・ラインハート
といった
有名アーティストに
『セブンティーン』
のための
イラストを依頼し、
若い読者たちに
モダンアートを届けた

1945年、イラスト
入りのユダヤ料理の
本を執筆した

『私をレシピと
放っておいて』
の原稿は
再発見され、
2017年に
復刊された

ディズニーランドのアトラクション
「イッツ・ア・スモール・ワールド」
もデザインした

ウォルト・
ディズニー・スタジオの
コンセプトアーティスト

彼女のアートは『不思議の国のアリス』
『シンデレラ』『ピーター・パン』
といった数多くの名作映画に
影響を与えた

「あなたは学校や大学で教育を授けられます。それから働きはじめ、学ぶ時が訪れるのです!」──メアリー・ブレア

メアリー・ブレア

イラストレーター・デザイナー・コンセプトアーティスト・アニメーター（1911-1978）

ウォルト・ディズニー・スタジオはこれまで時代を象徴するようなアニメーション映画をたくさん制作してきました。それらの裏側には何百人にものぼる才能あるアニメーターやコンセプトアーティストがおり、その中でも最大級の影響力を持ち続けているのがメアリー・ブレアです。1911年にアメリカ合衆国オクラホマ州で生まれたメアリーはいわゆる画家になることを目指して1933年にロサンジェルスのシュイナード・アート・インスティテュートを卒業しました。しかしその頃、大恐慌の影響でアート界は冷え込んでいました。メアリーはハリウッドでアニメーターとして働きはじめ、1940年にはディズニー・スタジオに入社しました。▼翌年、メアリーは視察旅行で南米を訪れました。旅先で見た色彩や模様はメアリーの創作意欲を刺激しました。彼女は様式化されたイラストを描きはじめました。彼女の作品には遊び心があり、まるで子どもの目を通して世界を見ているかのようだと評されました。ウォルト・ディズニーはアニメ作品『三人の騎士』と『ラテン・アメリカの旅』のアート・スーパーバイザー（美術監督）に彼女を指名しました。彼女のいきいきした現代的な画風は、『不思議の国のアリス』『イカボードとトード氏』『シンデレラ』『ピーター・パン』などのディズニー映画のキャラクターデザイン、カメラアングル、心に訴える色づかいに大きな影響を与えました。▼1953年、メアリーはフリーランスとして活動をはじめました。児童書のイラストを描いたり、マックスウェル・ハウス・コーヒーの広告を制作したり、ニューヨークのボンウィット・テラーなどの高級デパートのウィンドーディスプレイをデザインしたり。1964年、ウォルト・ディズニーはメアリーに「世界中の子どもたちへのごあいさつ」をデザインするという特別な仕事を依頼しました。有名なアトラクション「イッツ・ア・スモール・ワールド」です。もともと1964年のニューヨーク万国博覧会のために作られたこの乗りものでは、人々はボートでさまざまな国の風景を巡る旅をするのです。メアリーは踊るキャラクターや彫刻、壁画などをデザインして、おもちゃのような魅力を授けました。世界各地のディズニーのテーマパークでは現在もイッツ・ア・スモール・ワールドが稼働しており、人々はその魔法を体験しようと何時間も行列を作っています。メアリー・ブレアが活動していたのはもう何十年も昔のことですが、彼女の遊び心あふれるアートは現在もなお人々の心に響きます。彼女が遺した仕事は今日のイラストレーターや映画に影響を与え続けているのです。

彼女の
コンセプトアートは
『青い自動車』や
『小さな家』
など多くの
ディズニーの
短編映画で
使われている

彼女の夫
リー・ブレアも
ディズニーで
働く
アーティストだった

彼女は
グランド・
キャニオン・
コンコースや
トゥモローランド・
プロムナードなど、
ディズニーランドの
アトラクションの
ために
たくさんの
壁画を描いた

『わたしはとべる』
『うえとしたの本』
など
たくさんの
子どもの本の
イラストを描いた

1967年の
映画
『努力しないで
出世する方法』
で色彩設計を
担当

メアリー・
ブレア展

2009年、
東京都
現代美術館は
彼女の作品を
紹介する
初の大規模な
展覧会を
開催した

WPA壁画をはじめ政治的な作品を制作

ダンス、絵画、音楽を組み合わせたパフォーマンス体験を創り出した

彼女の絵画は自身が受け継ぐアフリカ系アメリカ人の文化と、旅で目にしたフォークアートに触発されている

「テルマ・ジョンソン・ストリートの作品は、私の意見では、現在この国で最も興味深い表現のひとつだ」
——ディエゴ・リベラ

テルマ・ジョンソン・ストリート

画家・ダンサー・教育者(1911-1959)

▷▷▷▷▷▷▷▷▷▷ ◁◁◁◁◁◁◁◁◁◁

ファニー・ブライスや
ヴィンセント・プライス
のような
セレブリティたちが
彼女の
絵画を求めた

ホノルルに
学校を開き、
夫の
ジョン・エドガー
と共に
芸術教育を通じて
人種間の平等を
促進させた

テルマ・ジョンソン・ストリートはアメリカ合衆国ワシントン州で生まれ、オレゴン州ポートランドで育ちました。1930年代半ばにオレゴン大学で学んだあと、アメリカ各地を巡る旅に出ました。彼女はニューヨークとシカゴで過ごしたあと、サンフランシスコで公共事業促進局(WPA)の大規模な壁画の制作に参加しました。この仕事を通じて、メキシコの壁画家ディエゴ・リベラと親しくなり、1939年に彼が「汎アメリカの結束」を描く際に助手を務めました——彼女はリベラが壁画に直接手を加えることを許した数少ない助手のひとりでした。▼1940年、ディエゴはテルマのためにギャラリーへの紹介状を書き、そこで彼女の作品を「アフリカ系アメリカ人および先住民族の芸術の優雅さと純粋さを取り戻すのに十分な進化と洗練を示している」と褒め讃えました。この手紙がきっかけとなって、彼女の絵画「黒い船乗りの死」(1943)がロサンジェルスのギャラリーで展示されることになりました。第二次世界大戦後、アメリカ合衆国を守るために命がけで戦ってきたアフリカ系アメリカ人の兵士たちは、依然として彼らの基本的人権を認めていない故郷の国に帰ってきていました。テルマの絵は命を失った男たちを讃えながらも、この国家の偽善を指摘していました。暴力的な白人至上主義団体クー・クラックス・クラン(KKK)は、テルマの「船乗り」を気に入らず、彼女とギャラリーを脅迫しました。テルマは怖気づきませんでした。彼女もギャラリーも作品を引っ込めろという要求に屈することなく、この作品は展覧会の会期が終了するまで堂々と展示されました。▼テルマはアフリカ系アメリカ人の歴史をよく取り上げましたが、ヨーロッパ、メキシコ、ハイチ、ハワイなどを旅した経験からインスピレーションを得た抽象画もたくさん制作しました。彼女は絵画に加え、ダンスにも情熱を注いでいました！　テルマはギャラリーで作品を見せるにあたって率先してダンスを取り入れたアーティストで、絵画の前でリズミカルなパフォーマンスを披露しました。1947年には、アフリカ系アメリカ人抽象芸術家としていちはやくニューヨークで個展を開きました。▼1959年、テルマのキャリアは悲しいことに短く終わってしまいました。彼女は心臓発作により47歳で亡くなったのです。60年近くにわたって、彼女の作品はほぼ忘れ去られていましたが、2016年、「薬品と交通」(1942-44)がスミソニアン博物館の常設展で展示されたのをきっかけに、ふたたび最前線に戻ってきました。テルマ・ジョンソン・ストリートは、現在では偉大な芸術家兼アクティヴィストとして、存命中と同じように賞賛されています。

彼女は
大物だった！

テルマの家族は
彼女を讃え続け、
作品が
人々の目に
触れるよう
活動している

1942年、
彼女は
MoMAに
作品が収蔵された
初のアフリカ系
アメリカ人
女性となった

2008年に
レジオンドヌール勲章（くんしょう）
を授与（じゅよ）された

彼女（かのじょ）の公共彫刻（ちょうこく）は世界中に
設置されている

1997年に
アメリカ国家芸術賞を受賞

「アーティストは他の人々が表現するのを怖気（おじけ）づくものを見せることができるのです」──ルイーズ・ブルジョワ

ルイーズ・ブルジョワ

彫刻家・インスタレーションアーティスト・画家・版画家（1911-2010）

1977年、
イェール大学から
名誉博士号を
授与された

1973年、
ニューヨークの
いくつもの
アートスクールで
教えはじめた

1989年、
彫刻と
ファウンド・オブジェで
埋まった檻（おり）の
空間を作る
インスタレーション、
「セル」と
呼ばれる
彫刻シリーズを
はじめた

ルイーズ・ブルジョワは1911年、パリに生まれました。家族は美しいアンティークのタペストリーを扱うギャラリーを経営しており、子どもの頃のルイーズはいつも絵を描いたり母親がタペストリーを修復するのを手伝ったりしていました。1930年、ルイーズはソルボンヌ大学で数学を学びはじめました。2年後、母親が亡くなったのをきっかけに、ルイーズは専攻を変更してアートへの情熱を追求することにしました。父親はこれを喜ばず、彼女の学費を援助しませんでした。ルイーズはアメリカからの留学生のために授業の翻訳をする代わりに、授業料の支払いを免除されました。彼女は1938年にアメリカ人美術史家ロバート・ゴールドウォーターと結婚し、アメリカ合衆国に移住しました。▼1945年、ルイーズはニューヨークで初の個展を開催し、12枚の絵画を発表しました。まもなく彼女の作品はホイットニー・アニュアル展にも選ばれました。1949年、彫刻作品「ペルソナージュ」（1945-55）を初めて発表しました。これは超現実的な、人間サイズの木と石のトーテムです。それから30年間、彼女は彫刻、絵画、版画など、あらゆる素材とメディアで制作し続けました。痛み、怒り、そして恐ろしい世界から守られることの必要性を扱う彼女のアートは、よく「心理的な苦痛に晒されている」と評されてきました。ルイーズは多作だったにもかかわらず、広くは知られていませんでした。しかし1982年にニューヨーク近代美術館で開催された回顧展をきっかけに、すべてが変わりました。そこで特に目を引いたのが、ラテックスと木で作られた、展示室を埋める大きなインスタレーション「父の破壊」（1974）でした。彼女は70歳になってようやく国際的に大評判となったのです。▼80歳になった彼女は、有名な「蜘蛛」シリーズの制作を開始しました。大きく獰猛かつ傷つきやすい様子の金属製の蜘蛛は、まるで蜘蛛のように創造的で働き者の機織り職人だった彼女の母親を象徴していました。ルイーズにとって蜘蛛は捕食者であるのと同時に保護者でもあったのです。1999年、彼女は高さ9メートルにおよぶ最大の蜘蛛の作品に「ママン」という題をつけました。彼女の蜘蛛はカンザスシティからサンクトペテルブルク、ブエノスアイレスからパリまで、世界中で展示されています。1997年、ルイーズはアメリカ国家芸術賞を授与されました。彼女は人生の最後の20年間に、世界有数の影響力を持ち、最も尊敬されるアーティストのひとりとなったのです。

2009年、
全米女性
殿堂（でんどう）の
栄誉（えいよ）を
授けられた

1993年の
ヴェネチア・
ビエンナーレで
アメリカ合衆国
代表作家に

高さ
約9m

2000年に
テート・モダンが
開館した際、
彼女は「ママン」
（1999）と
「する、取り消す、
再びする」
（1999-2000）
を展示した

建築、インダストリアルデザイン、製造業の分野に大きな貢献をして時代を切り拓いた

20世紀スタイルの決定版となる家具をデザインした

現代史において最も重要かつ大成功を収めたデザイン事務所の共同設立者

「私は決して絵画を諦めたわけではありません。ただパレットを変更しただけなのです」——レイ・イームズ

レイ・イームズ

インダストリアルデザイナー・グラフィックアーティスト・建築家・映像作家(1912-1988)

第二次
世界大戦中、
イームズ夫妻は
合板製の
添え木を
デザインした

イームズ夫妻は
自分たちの
家を設計した。
これは
「イームズ・ハウス」、
または
「ケーススタディ・
ハウス#8」
（1949）

とも呼ばれ、
20世紀で
最も重要な
建築の
ひとつとなった

「私たちは最小限の材料で最大限の人々にとって最高のものを作りたい」というのが、イームズ事務所を創設したチャールズとレイ・イームズのモットーでした。レイ・イームズことバーニス・カイザーは、1912年、カリフォルニア州サクラメントに生まれました。彼女は画家として創作活動をはじめ、有名な抽象画家ハンス・ホフマンに師事しました。1940年、彼女はミシガン州のクランブルック美術アカデミーでチャールズ・イームズと出会いました。レイは、チャールズと建築家のエーロ・サーリネンがプライウッド（合板）という新しい素材で椅子を作り、ニューヨーク近代美術館主催の家庭用家具コンペティションに出品するのを手伝いました。彼らのデザインは1位と2位になりましたが、大量生産は不可能でした。▼レイとチャールズは1941年に結婚し、ロサンジェルスに自分たちのデザイン事務所を開きました。ふたりは椅子の試作を重ね、1946年、ついにイームズの合板製ラウンジチェアが量産できるようになりました。評論家たちはそれを「世紀の椅子」と呼びました。この頃、第二次世界大戦から帰還した人々は、意気揚々と新たな家で新たな生活をはじめようとしていたのです。イームズは新しい中流階級の郊外生活者たちのライフスタイルに合ったプラスチックと合板の家具を開発しました。ふたりは家具で成功を収め、別の種類のプロジェクトにも挑戦することができるようになり、ハウス・オブ・カード（1952）などのおもちゃや『パワーズ・オブ・テン』などの映像作品を制作しました。▼レイとチャールズは共同作業を続けていましたが、そのほとんどがチャールズの功績とされていました。1950年代には、記者たちはレイをチャールズの対等なパートナーとしてではなく、彼の「小さな助っ人」として描写していました。チャールズはこれに抗議して「自分にできることならレイは何だってもっとうまくやれる」と言いました。レイはすべてのプロジェクトに関わっていたのです。レイはとりわけその色づかいと気まぐれで遊び心のあるセンスで知られていました。彼女はテキスタイルやグラフィックも制作し、イームズの印象的な広告や写真のスタイリングやアートディレクションも担当しました。▼1978年にチャールズが亡くなり、レイは人生の最後の10年間、事務所を率いることになりました。1980年代になると彼女はデザインの天才としてよく知られるようになりました。彼女は1988年に亡くなりました。今日、「イームズ」の名前はそのままミッドセンチュリー・デザインの時代を象徴するものとなっています。

「イームズ・
ラウンジチェア」
（1946）は
MoMAの
パーマネント
コレクションに
入っている

カリフォルニア州
ヴェニスのスタジオ
901は1943年から
1988年まで
イームズの
オフィスだった

小間物や
がらくたが
大好きで、
家と仕事場は
彼女の
コレクションで
いっぱいだった

1930年代に強力な
シュールレアリスム
彫刻を制作

ファウンド・オブジェを
並置させたり変容させたり
して慣習に逆らう
芸術作品を生んだ

アートを用いて女性の
アイデンティティと欲望を追求

「自由は与えられるものではなく、掴み取るもの」――メレット・オッペンハイム

メレット・オッペンハイム

シュールレアリスト彫刻家（1913-1985）

彼女は
X線機器
を使って
セルフポートレート
を撮影した
「メレット・
オッペンハイムの
頭蓋骨の
X線写真」
（1964）

スイスの
ベルンにある
広場の
噴水として
「螺旋柱」
（らせんちゅう、
1983）
をデザインした

メレット・オッペンハイムの彫刻は、サルヴァドール・ダリの溶ける時計やマン・レイのガラスの涙に並んでシュールレアリスム（超現実主義）芸術運動を象徴する作品です。1930年代のシュールレアリスムは、夢、無意識、そして人間の心の奥深くの欲望に注目しました。この運動は男性中心で、女性はたいていモデルとして使われるか、欲望の対象物あるいはミューズとして描かれていました。しかしメレットの彫刻は、女性に課された厳格なジェンダーロールと社会における抑圧の問題を追求し、女性のアイデンティティを表現していました。▼メレットは1913年、ドイツに生まれました。第一次世界大戦がはじまると家族はスイスに逃れました。1932年、パリに移り住んだ彼女は、シュールレアリスムの写真家マン・レイに出会い、モデルとして働きはじめました。翌年、メレットはアーティストとしてシュールレアリスム運動に参加しました。彼女の彫刻は日常的なありふれたものを不穏でユーモラスな素材やイメージと並置させていました。▼彼女の彫刻「オブジェ」（1936、別名「毛皮の昼食」）は、ティーカップとソーサーとスプーンを完全に毛皮で覆った作品です。彼女は家庭的で壊れやすい品をまるで動物のようなものに変容させ、見る者の潜在意識に訴えかけました。1936年、彼女の彫刻はニューヨーク近代美術館（MoMA）の展覧会「幻想芸術、ダダ、シュールレアリスム」で紹介されました。この作品は大評判で、彼女は一夜にして名声を獲得しました。彼女の他の彫刻も素材と物を奇妙なやりかたで組み合わせており、たとえば「私の乳母」（1936）は、まるで鶏の丸焼きに見えるよう縛られた女性のハイヒールの靴でした。同年、メレットはスイスのバーゼルにあるギャラリー・シュルテスで初の個展を開催しました。▼メレットは突然の名声と成功に参ってしまい、以後20年は作品の制作をやめてしまいました。1950年代半ば、彼女はふたたび創作意欲を燃やすようになり、1956年にはピカソの舞台「しっぽを掴まれた欲望」の衣装をデザインしました。彼女はスイスにあるスタジオで、執筆、彫刻、衣装やジュエリーのデザインをはじめました。1967年、ストックホルムで大規模な回顧展が開催されたのをきっかけに、メレットは世間に認知されるようになりました。1982年、メレット・オッペンハイムはベルリン市から芸術大賞を授与されました。メレットは潜在意識に入り込み、言葉にされない真実を暴くアートを創作した末、1985年に亡くなりました。

紙製のジャケット
（1976）や
手袋（1985）といった
シュールレアリスム
衣類を作った

「オブジェ」
のアイデアは他の
アーティストたちと
昼食を食べながら
メレットの毛皮の
ブレスレットに
ついて冗談を
言っていたのが
きっかけで
思いついた。
メレットは
ティーカップでも
何でも毛皮で
覆うことが
できると言い、
大声でジョークを
飛ばした

ウェイター、
もっと毛皮を！

インド政府は彼女の作品を国宝に指定した

インドの女性たちの暮らしと貧しくさせられた人々の窮状を描いた

西洋とインドの影響を組み合わせて独自の画風を開発した

「私はインドでのみ描くことができます。ヨーロッパはピカソやマティスやブラックのもの……インドは私だけのものです」
——アムリタ・シェール＝ギル

アムリタ・シェール＝ギル

画家(1913-1941)

国連の
文化機関
ユネスコは、
彼女の
生誕100周年に
あたる
2013年を
アムリタ・
シェール＝ギルの
国際年とした

彼女の
母親は
オペラ歌手で、
父親は
ペルシャ語と
サンスクリット語の
研究者だった

アムリタ・シェール＝ギルは1913年、ハンガリーのブダペストで生まれました。彼女の母親はユダヤ系ハンガリー人で、父親はインド系のシーク教徒でした。アムリタは幼い頃からアートの才能を示していました。一家は北インドに移住し、アムリタは8歳できちんとした美術教育を受けはじめました。16歳の時、アムリタは母親と一緒にヨーロッパに戻り、パリのグランド・ショミエール芸術学校と国立高等美術学校に通いました。パリでは後期印象派のポール・セザンヌ、ポール・ゴーギャン、アメデオ・モディリアーニの影響を受けました。1933年、アムリタは19歳の若さでパリのグラン・サロンに「若い女たち」（1932）を出品し、金賞を受賞しました。成功を収めたにもかかわらず、アムリタはパリを離れなければいけないと感じていました。「インドに戻りたいという強い願望に取り憑かれ、なぜだかそこに私の画家としての運命があるに違いないと感じていました」と彼女は語っています。彼女は1934年の終わりにインドに渡り、全国各地を巡る旅に出ました。彼女はアジャンター石窟群で見られる様式化されたアートや、17世紀のムガル細密画が持つ活力や構図に触発されました。彼女はパリで教わった西洋の技法とインドからの影響を融合させ、独自の画風を創り出しました。▼アムリタはインドの人々にも深く心を動かされました。彼女は貧困に陥った人々の日常生活と感情を捉えようと決意していました。そうして描かれたのが「村の情景」（1938）などの絵画です。彼女はまたインドの女性の私的な世界と女性どうしの親密な結びつきを映し出したいと考えていました。この時代、インドの男性画家の多くは、女性をしあわせで従順な存在として描いていました。その一方でアムリタは、女性たちの複雑で静かな感情を表現したいと願ったのです。「三人の少女」（1935）で彼女は、3人の若い女性たちが堂々と座って、自分たちの思い通りにはできない未来を待つ姿を描いています。▼1938年、アムリタはハンガリーでヴィクター・イーガンと結婚し、ふたりで一緒にインドに戻ってきました。彼女はサラヤの村に住み、後にラホールに移りました。1941年、彼女は初の大規模な個展がはじまるわずか数日前に病に倒れ、28歳の若さで亡くなりました。彼女は生前に膨大な数の作品を制作しており、アート界に大きな影響を与えました。今日、アムリタはインドの現代美術の先駆者にして最も大きな影響力を持つアーティストのひとりとみなされています。

「市場に向かう
南インドの
村人たち」
（1937）は
インド南部を
旅しながら
描かれた

2006年、
彼女の
「村の風景」は、
インド絵画の
落札価格としては
記録的な
6900万ルピー
（約97万3000ドル）
で売れた

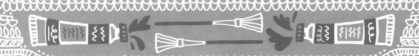

20世紀に生きる黒人の経験を
表現する彫刻と版画を制作

民衆の彫刻家
として知られていた

メキシコとアメリカ合衆国
の両方で大きな影響力
を持つアーティストだった

「私は常に自分のアートが人々に仕えるものであってほしいと願ってきました――私たちを反映し、私たちに関係があり、私たちを刺激し、私たちに自らの可能性に気づかせるアートです」――エリザベス・キャトレット

エリザベス・キャトレット

彫刻家・版画家（1915-2012）

1915年に生まれたエリザベス・キャトレットは、アメリカ合衆国ワシントンDCの中流階級の人々が住む地域で母親に育てられました。父親はエリザベスが生まれる前に亡くなっていました。祖母はエリザベスに、かつて自分が奴隷だった頃の苦難に満ちた経験について話してくれました。エリザベスは話を聞いて悲しみ、当時の映画における奴隷制度の描写がいかに不正確かに気づいて怒りを覚えました。エリザベスはカーネギー工科大学に進学する奨学金を獲得しました。しかし残念なことに、この大学は彼女が黒人であることを知ると入学を拒否しました。なのでエリザベスはハワード大学に進み、美術学部を優秀な成績で卒業すると、アイオワ大学で修士号を取得しました。▼1946年、エリザベスはローゼンワルド財団の助成金でメキシコシティに滞在し、作品を制作しました。彼女はそこで、アートはみんなのためのものであり、人々の意識と生活を向上させる手段なのだと信じる壁画家や政治活動家たちに出会いました。エリザベスは、タエール・デ・グラフィカ・ポピュラール（人民版画工房）で過ごした時間を振り返り、「私は人々のために自分のアートをどのように使うかを学びました。苦闘する人々、写実主義のみが意味を持つような状態の人々です」と語っています。エリザベスの作品は黒人コミュニティの闘いと強さを表現しました。人民版画工房では、エリザベスは版画の一種であるリトグラフの技法を学びました。彼女の作品はアフリカ系アメリカ人とメキシコ人、両方からの影響を融合していました。1962年、彼女はメキシコ市民になりました。▼彼女はその後もずっと政治的な黒人表現主義作品を制作し続けました。働く人々を描いた「小作人」（1952）などの写実的な肖像画を描き、黒人を讃えた「ネグロ・エス・ベッロ」（「ブラック・イズ・ビューティフル〔黒はうつくしい〕」、1968）などのリトグラフを彫りました。彼女は活動期間を通じてずっと、アフリカ系アメリカ人の人々を現代的に表現する様式化された幾何学的な彫刻も作りました。彼女は彫刻「私の若き黒い姉妹たちへのオマージュ」（1968）のような、ブラック・パワー運動のイメージをさかんに創り出しました。▼エリザベスの人生が後半に差し掛かる頃になると、世界中の主要な美術館やギャラリーが彼女の作品を褒め讃えるようになりました。彼女は老年期をニューヨークとメキシコのクエルナバカを行き来して過ごし、90代に入ってからも人々のためのアートを作り続けました。

アメリカでマッカーシズム（反共産主義の思想統制）が吹き荒れた1959年代には、彼女は左翼（さよく）の活動家として下院非米活動委員会の捜査対象となった

マーティン・ルーサー・キングJr.や作家のフィリス・ホイートリーの胸像や、ハリエット・タブマンの生涯を伝えるエッチングを制作した

2009年、NAACP（全米黒人地位向上協会）イメージ賞を受賞

1958年から1975年までメキシコシティの国立芸術学校で教えた

マンハッタンのリバーサイド・パークにある高さ約4.5メートルのブロンズ製記念碑「見えない男 ラルフ・エリソン記念碑」（2003）を作った

アートの道具

建物を設計するにも、彫刻を作り上げるにも、風景を描くにも、アーティストには適切な道具が必要です！アーティストたちは作品を作るにあたって、高価な油絵の具から道端で拾ったゴミまで何でも使います。これらはアーティストがすばらしいものを創造するのに使われている基本的な道具の数々です。

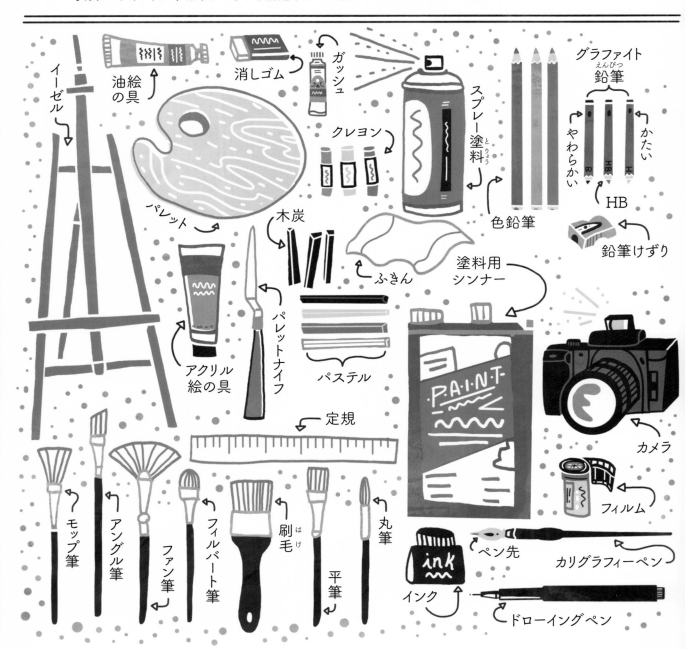

イーゼル

油絵の具

消しゴム

ガッシュ

クレヨン

スプレー塗料

グラファイト鉛筆

やわらかい

かたい

HB

パレット

色鉛筆

鉛筆けずり

木炭

ふきん

塗料用シンナー

アクリル絵の具

パレットナイフ

パステル

定規

カメラ

フィルム

モップ筆

アングル筆

ファン筆

フィルバート筆

刷毛

平筆

丸筆

ink

インク

ペン先

カリグラフィーペン

ドローイングペン

ハンマー

釘とねじ

ペンチ

はさみ

コンピュータ

のり

カッターナイフ

スクイージー

シルク
スクリーン

スキャナー

粘土

スポンジ

釉薬

インク

毛糸

編み棒

リボンツール

木製コテ

ワイヤー
カッター

針ツール

丸のみ

ミシン

リノリウム
ブロック

針と糸

自然、かたち、影からインスピレーションを得た彫刻を創作

ルース・アサワ・サンフランシスコ
芸術学校の設立に協力

1993年、女性芸術コーカスから
特別功労賞を授与された

「アートはみんなのものです。鑑賞して楽しむために美術館に行かねばならないようなものではないのです」
——ルース・アサワ

ルース・アサワ

彫刻家・芸術支援活動家・教師（1926-2013）

ルース・アサワは1926年、アメリカ合衆国カリフォルニア州で生まれました。彼女の両親は日系移民の農業労働者でした。第二次世界大戦中、日本はハワイの真珠湾にある米軍基地を攻撃しました。アメリカ政府は市民に紛れて日本のスパイがいるのではないかと疑心暗鬼になり、あらゆる日系人を理由もなく逮捕しはじめました。1942年から1946年まで10万人を超える日系人が不当に収容所に送られることになり、16歳のルースと家族も例外ではありませんでした。父親は別の収容所に送られ、ルースは1948年まで彼と会うことができませんでした。カリフォルニアの収容所には、ウォルト・ディズニー・スタジオで働いていたアーティストたちが何人かおり、ルースは彼らと一緒に絵を描いて過ごしました。▼戦争が終わると、ルースは1946年から1949年までノースキャロライナ州のブラック・マウンテン・カレッジに通いました。彼女はアーティストのウィレム・デ・クーニングや振付師のマース・カニングハムといった教師たちから刺激を受けました。ルースはここで建築家アルバート・ラニエールにも出会いました。ふたりは結婚し、1949年にサンフランシスコに引っ越しました。ルースは6人の子どもを育てながら、自宅でアートを作りはじめました。▼1950年代、ルースは有名な吊りワイヤー彫刻の制作をはじめました。彼女は自分の作品を「中世の鎖帷子にも通じる編まれた網。ワイヤーの連続的なつながりであり、内側のかたちを包み込むかたち。しかしすべてのかたちは透き通って目に見えます。影はその物のイメージをそのままあらわすのです」と説明しました。ルースはサンフランシスコのベイエリアのあちこちで作品を発表しました。彼女の彫刻は高名なホイットニー美術館の毎年恒例の展覧会や1955年のサンパウロ・ビエンナーレなどの出品作に選出されました。▼1968年、ルースはサンフランシスコ芸術委員会の委員に任命されました。同年、彼女は子どもたちのためのアルバラード・アート・ワークショップを共同設立し、これはアメリカ中の美術教育プログラムのお手本となりました。ルースの教育法は「何かを学ぶ。それを使ってみる。誰かに伝える。そうすれば忘れない」というものでした。1982年、彼女はルース・アサワ・サンフランシスコ芸術学校の設立に力を貸しました。ルースは80代後半まで公共の場に働きかけ、亡くなるまで作品を作り続けました。「彫刻は農作業のようなもの。根気よく続けていれば、かなりの収穫があるのです」という彼女の言葉の通りに。

1968年、ルースは初の具象作品を作った。サンフランシスコのギラデリ広場の人魚の噴水だ

子どもの頃、ルースと6人のきょうだいは農作業を手伝っていた

ルースが納屋を掃きながら地面に描いていたかたちは、彼女が将来作る彫刻に似ていた

折り紙でも作品を作り、それらを元にした大きなブロンズ製の公共彫刻がサンフランシスコのあちこちに設置された

彼女の美術教育プログラムが資金援助を受けられなかった際、ルースは小麦粉と塩と水で自作したパンの生地を使って生徒たちに教えた

彼女の彫刻に見られる網の連続体はメキシコで見たかご編みに触発されたものだ

自分の建築事務所を設立した、
黒人女性の先駆け

ニューヨークとカリフォルニアの
両方で建築士の資格を取った
初のアフリカ系アメリカ人女性

AIA（アメリカ建築家協会）
初の黒人女性フェロー

「建築の世界で、私にはロールモデルが誰もいませんでした。今では、自分が後進の人々にとってのロールモデルになれたことを嬉しく思います」──ノーマ・スクラレック

ノーマ・スクラレック

建築家(1926-2012)

ノーマ・スクラレックは1926年にアメリカ合衆国ニューヨークのハーレムで生まれました。1950年、彼女はコロンビア大学の建築学部を卒業しました。ニューヨーク州の建築士試験は4日間にわたっておこなわれる難関でしたが、ノーマは初受験で合格し、1954年には正式に同州初の黒人女性建築士になりました。彼女は建築家として、さらに史上初の偉業を次々と成し遂げていきました。▼1955年、ノーマは高名な建築会社スキッドモア・オーイングス・アンド・メリルに就職しました。4年後にはロサンジェルスに移ってグルーエン・アンド・アソシエイツで働き、1962年にカリフォルニア州史上初の黒人女性公認建築士となりました。1980年には黒人女性として初めてアメリカ建築家協会(AIA)のフェローに選出されました。5年後、ノーマは自分の建築事務所シーゲル・スクラレック・アンド・ダイアモンドを設立しました。同社は当時、女性が所有する建築事務所では国内最大でした。1989年、彼女はより大規模な仕事に取り組むために自らの事務所を離れ、1992年にセミリタイアするまでジャード・パートナーシップのプリンシパル(建築事務所を代表するトップクラスの建築家)として働きました。▼ノーマは、技術的に複雑な建築計画を実現する高い技能で知られていました。彼女の建物は最先端の工学および電気システムを持ち、熱帯性暴風雨や地震に耐えられるしっかりした基盤を備えながら、すべてが洗練された現代的な外観をしていました。それでもなお彼女は、建築家として自分の実力を証明しなければならないと感じていました。彼女は1980年に携わったロサンジェルス国際空港ターミナル1の改修工事について、「最初、この空港の仕事に関わっていた建築家たちは、女が最高責任者を務めることについて懐疑的でした。しかし、当時そこで進行していたいくつもの建築計画の中で、スケジュール通りに進んでいたのは私のものだけでした」と振り返っています。▼ノーマは自分自身の成功への道を切り拓いただけではなく、他の人たちも一緒に連れていきました。ノーマは複数の大学で教え、学生たちが建築士試験に合格できるよう指導しました。彼女にとって、建築の道に進む他の若い黒人女性たちのロールモデルとなることは大事なことでした。ノーマは自分の専門分野における差別と闘うために、AIA全国倫理委員会の議長を務めました。ノーマ・スクラレックは2012年に逝去し、「建築のローザ・パークス」と呼ばれた先駆者として歴史に名を刻んでいます。

ノーマは2008年、AIAのホイットニー・M・ヤング Jr.賞を受賞した

彼女の父親は医者で母親はお針子だった

ハワード大学は彼女の名前を冠した建築学の奨学金を設立した

その他の主な建物にはサクラメントのダウンタウンプラザ、ニューヨークのクイーンズ・ファッション・モール、サンフランシスコのフォックス・プラザなどがある

ロサンジェルスの彼女による主な建物には、パシフィック・デザイン・センター、ウィルシャー/ラ・ブレア地下鉄駅、ファッション・インスティテュート・オブ・デザイン&マーチャンダイジングなどがある

水玉、反復、覆い尽くすこと、
永遠性といったテーマを
追求している

最も重要な日本の存命アーティスト
と呼ばれてきた

2006年、その功績に対し
日本で勲章を授けられた

「私たちの地球は宇宙の百万の星たちの中にあるたったひとつの水玉。水玉は永遠への道。私たちが水玉でもって自然
と私たちの身体とを消し去る時、私たちはひとつに融合された環境の一部となるのです」──草間彌生

草間彌生
（くさまやよい）

彫刻家・インスタレーションアーティスト・画家・パフォーマンスアーティスト（1929-）

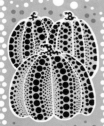

彼女は子どもの頃からかぼちゃの絵を描いていた。かぼちゃのかたちが好きで、「南瓜へのつきることのない愛のすべて」（2016）など、多くの作品に取り入れている

「無限の鏡の間—光年の彼方の百万人の魂」（2015）など、複数の無限の間が各地で常設されている

草間彌生は水玉模様のキャンバスでいっぱいのスタジオで、水玉模様がプリントされたドレスを着て、水玉模様の絵を描きます。彼女は生涯を通じてずっと、世界が水玉に変わって呑み込まれてしまうように感じる不安発作や幻覚に悩まされてきました。彼女は自らの病気を創作のインスピレーションにしたのです。▼1929年、長野県の松本に生まれた草間は子どもの頃からいつも絵を描いていて、アーティストになりたいと願っていました。母親は草間が芸術を志すことを応援せず、娘が描いた絵を破り捨ててしまうことさえありました。しかし1948年、草間は両親の説得に成功し、京都で絵画を学びはじめました。1957年、彼女はさらに夢を追う自由を求めてアメリカ合衆国に渡りました。▼ニューヨークで新進アーティストとして苦しい生活を送りながら、草間は代表作となる「無限の網」シリーズを描きはじめました。キャンバス全体を覆って無限に増殖するかのような円が描かれています。当時のアメリカのアート・シーンは、アンディ・ウォーホルなどのポップ・アーティストが幅を利かせていました。草間の作品は流行の明るく楽しげなポップ・アートに重なるところもありましたが、より個人的なものでした。1960年代、草間は「ハプニング」を企画し（これはアート・パーティーのようなものでした）、そこでキャンバス、人、会場全体を水玉で覆う作品を制作しました。1963年には、水玉模様のオブジェや照明で埋め尽くされた「無限の鏡の間」の制作を開始。鏡は無限にお互いを反射し合い、見る者の空間感覚を"消し去り"ます。彼女の作品はニューヨーク近代美術館（MoMA）をはじめとする重要な美術館やギャラリーに展示されました。▼1973年、心の健康を損なった草間は日本に帰国しました。彼女は困難を乗り越えて活動を続け、1977年には精神科病院に入院することにしました。草間は作品を制作するため、病院の近くにスタジオを購入しました。彼女にとって芸術作品は薬です。草間いわく、「私は痛みや不安、恐怖と毎日闘っています。アートを作り続けることが、私が見つけた私の病気を和らげる唯一の方法なのです」。草間彌生は過去40年近く、毎日午前9時から午後6時までをスタジオで過ごして、何百点もの絵画を描き、ファッション関連の大手企業とのコラボレーションをおこない、インスタレーションを制作してきました。草間彌生の展覧会は世界中で記録破りの数の観客を集め続けています。

1968年にファッションの会社を設立し、ランコム、マーク・ジェイコブズ、ルイ・ヴィトンなどのブランドとコラボレーションをおこなってきた

2017年、東京に草間彌生美術館が開館

アメリカ合衆国に渡る前からジョージア・オキーフと文通していた

ニューヨークの美術館により多くのマイノリティの人々が含まれるよう求める運動のリーダー

物語ること、絵画、繊維作品を組み合わせたナラティヴキルトを創作

たくさんの子どもの本の文章と絵を手掛けた

「あなたは他の誰かがやってきてあなたが何者か言うのをただ座って待っているだけではいられません。あなたが自分でそれを書き、描き、やるのです！　アートはそこからはじまります。それはあなたが何者であるかの視覚的イメージです。それこそアーティストでいることの力なのです！」――フェイス・リンゴールド

フェイス・リンゴールド

画家・布作家・教育者・社会運動家（1930-）

フェイス・リンゴールドは1930年にアメリカ合衆国ニューヨーク市のハーレム地区で生まれました。彼女はハーレムでの暮らしが大好きで、子ども時代はアートで満たされていたと振り返っています。母親はファッションデザイナー兼仕立屋でした。フェイスはいつも絵を描いたり何かを作ったりしていました。彼女はシティ・カレッジ・オブ・ニューヨークに入学し、美術教育学の学位を取って1955年に卒業しました。その後、彼女はアートを教えながら学び、1959年に修士号を取得しました。

▼1960年代後半から1970年代にかけて、フェイスはニューヨークにある現代美術館の数々でより多くの黒人や女性のアーティストが紹介されるよう求める運動のリーダーを務めました。その頃、ホイットニー美術館が毎年開催するホイットニー・アニュアル展（1973年以降は2年に1度のビエンナーレに）の出展者に占める女性の割合は、全体のわずか2％でした。フェイスはこの性差別問題に注目し、女性アーティストをもっと見せるよう求める抗議行動の組織化に尽力しました。フェイスの娘で10代だったミシェルは、「50パーセント！」と主張しました。フェイスと女性たちのグループは、ホイッスルや看板、色を塗った卵で武装し、ニューヨークの街頭に出て抗議をおこないました。その次の回のホイットニー・アニュアルでは出展者の20％が女性になりました。それから40年近く経った2010年、ついに女性アーティストが過半数になりました。▼1973年、フェイスは制作に専念するために教職を離れました。彼女は母親の助けを借り、まず色とりどりの刺繍やビーズやフリンジを使った糸と布による縁取りを施した「ハーレムのエコー」（1980）のような作品を制作しました。そして1983年には、キャンバスに文字を書いて布と組み合わせたストーリーキルト［ナラティヴキルト］を初めて制作しました。彼女の最初のストーリーキルト「ジェマイマおばさんなんて怖くない」（1983）では、パンケーキシロップのマスコットキャラクターとして知られるジェマイマおばさんの生涯を、成功した素敵なビジネスウーマンの物語として語り直しました。『ター・ビーチ』（1991）や『コニーおばさんの家の夕食』（1993）など、彼女のキルトの多くは絵本にもなりました。▼フェイスは物語と布と絵を組み合わせた作品で知られるようになりました。彼女の作品はアメリカ中の主要な美術館で展示されています。彼女は現在も作品を制作し、教え、手仕事の力とさまざまなアートの世界における表象の重要性について語り続けています。

夫のクリストとコラボレーションをおこない、世界中で大規模なインスタレーション作品を制作

有名な大型建築、ランドマーク、山、海岸線などを布で包み込んだ

「私たちは喜びと美のアート作品を創り出したいのです。私たちがそれを築きあげるのは、美しいものになると信じているからです。それを見る唯一の方法は、それを作ることです。あらゆる真のアーティストと同じように、私たちは自分たちのためにそれらを創り出しています」——ジャンヌ=クロード・ドゥナット・ド・ギュボン

ジャンヌ＝クロード・ドゥナット・ド・ギュボン

環境アーティスト（1935-2009）

ジャンヌ＝クロード・ドゥナット・ド・ギュボンは1935年、モロッコのカサブランカで生まれました。彼女の父親はフランス軍の一員としてモロッコに赴任していたのです。ジャンヌ＝クロードは1958年、母親の肖像画を描きに来たクリスト・ウラジミロフ・ヤヴァチェフに出会いました。ふたりは恋に落ち、人生と芸術におけるパートナーとなりました。1961年、クリストとジャンヌ＝クロードは最初の共同プロジェクト「積み重ねられたドラム缶と波止場の荷物」を制作しました。これに続く「鉄のカーテン」（1961-62）はドラム缶を並べた壁で、ふたりにとって初めての記念碑的作品となりました。1964年、ふたりはニューヨークに移住しました。▼ジャンヌ＝クロードとクリストは、カラフルな布を使って世界を変容させたいと考え、建物や渓谷、そして島まるごとすらも包み続けました。ふたりは1968年からおよそ1年かけて、オーストラリアのシドニーの海岸線を9万3000㎡の布で覆う「梱包された海岸」を制作しました。完成した状態が公開されたのはたった10週間で、その後は跡形もなく撤去されました。1972年から1976年にかけては、「ランニング・フェンス」を制作しました。北カリフォルニアを全長40kmにわたって貫く、巨大な布がはためく「フェンス」が存在したのはわずか2週間でした。彼らの作品は、まるであり得ない魔法のようでいて、同時にばかばかしさもありました。▼1980年から1983年にかけて、ふたりはマイアミ近郊にある11の島々の縁を、およそ60万㎡のあざやかなピンク色の布で包みました。この作品は「囲まれた島々」と呼ばれ、2週間にわたって展示されました。2005年には、1979年から制作をはじめたニューヨークのセントラルパークの「門」を完成させました。金色の布が吊るされた7503の門からなる作品です。彼らの大規模な環境芸術はごくわずかな期間しか存在せず、すぐに解体されて、材料はすべてリサイクルされます。ジャンヌ＝クロードはこのことが作品にさらなる価値を与えていると考えており、それを「長続きしないものに対して私たち人間が抱く愛と優しさという美質」と語っていました。▼51年間にわたって一緒だったふたりのアーティストは、切っても切り離せない関係にありました。ふたりは助手のチームを率いて大規模なプロジェクトを実現させ、よく現場で問題を解決していました。「門」の完成から4年後、ジャンヌ＝クロードは亡くなりました。クリストはふたりの最高に奇想天外なアイデアを実現するために仕事を続け、2020年に亡くなりました。

「アンブレラ」
（1984-91）は
何本もの
大きな傘を
カリフォルニア州と
日本の
内陸の村に
設営して
双方の違いを
際立たせる作品

パリの
ポンヌフ橋や
スイスの
クンストハレ
など
数多くの
有名な建造物を
布で包んだ

クリストと
ジャンヌ＝クロードが
ベルリンの
国会議事堂を
包む許可を
得るまでには
25年かかった

ジャンヌ＝クロードと
クリストは
まったく同じ日に
生まれている

クリストと
ジャンヌ＝クロードは
「谷間のカーテン」
（1970-82）
と題した
インスタレーションで、
ロッキー山脈の
ライフルギャップを
巨大な
オレンジの
カーテンで包んだ

日食の写真でも
知られている

シンセサイザー音楽の
パイオニアのひとり

『時計じかけのオレンジ』
『シャイニング』『トロン』などの
映画音楽を作曲

「どうやら最高の芸術の心臓部には、予測と驚きがいい感じに混ざり合っているようです」──ウェンディ・カーロス

ウェンディ・カーロス

作曲家・日食写真家（1939-）

ウェンディ・カーロスは1939年にアメリカ合衆国ロードアイランド州で生まれました。6歳からピアノをはじめ、音楽に加えて視覚芸術や科学の分野でも目覚ましい才能を発揮していました。ブラウン大学を卒業した後、コロンビア大学で作曲の修士号を取得しました。それから録音およびマスタリング・エンジニアとして働きはじめ、そこで生涯の友人となるロバート・モーグと出会いました。ロバートは世界初の鍵盤を装備した小型シンセサイザーを発明し、モーグと名付けていました。モーグ以前、電子音楽は部屋を埋めるほど大きくて複雑な機械を使って作られていました。ふたりは力を合わせて、モーグをオルガンのように鍵盤に触れる指先に敏感に反応する楽器に改良しました。▼ウェンディはモーグを使ってヨハン・セバスチャン・バッハのコラール（賛美歌）とコンチェルトを奏でた傑作アルバム『スイッチド・オン・バッハ』（1968）を作りました。これらの「ぶっとんだ」シンセサイザー・サウンドに誰もが驚かされました。1970年、『スイッチド・オン・バッハ』はグラミー賞の3部門を受賞し、売れまくってプラチナアルバムになりました。ウェンディの作品のおかげで、まだ歴史の浅かった電子音楽は本格的な音楽ジャンルとして世界に認識されるようになったのです。▼ウェンディはウォルター・カルロスとして生まれましたが、ずっと自分は女性であると自覚してきました。彼女は『スイッチド・オン・バッハ』の経済的成功のおかげで、1968年に性別移行のための医療処置をはじめることができました。ウェンディは世間からの反発を恐れていましたが、1979年、勇気を出して雑誌のインタビューで自分がトランスジェンダーだと公表しました。人々の反応にほっとしたウェンディは、「世間は驚くほど寛容だった。もしくは、みんな別にどうでもよかったのかも」と語っています。彼女は自分の性自認について隠していた頃を、「あんな茶番をやっている必要はどこにもなかった。ものすごい人生の時間の無駄だった」と振り返りました。▼1970年、ウェンディは映画監督スタンリー・キューブリックと共同作業をはじめ、『時計じかけのオレンジ』（1971）と『シャイニング』（1980）の劇伴を制作しました。また、オリジナル版『トロン』（1982）の劇伴も手掛けました。彼女の音楽はこれらの映画を新たな高みに引き上げることができたのです。ウェンディは21世紀に入ってからもアルバムを発表し続けました。今日、彼女は電子音楽の母、そして新しいかたちの芸術の創造に貢献した先駆者として知られています。

10代の頃、パソコンを自作してウェスティングハウス・サイエンス・フェア奨学金を獲得した

猫が大好きでペットたちの絵を描くのも好き

彼女の日食写真はNASAにも使用され、雑誌『スカイ＆テレスコープ』の表紙にもなった

彼女のアルバム『デジタル・ムーンスケープ』は日食写真からインスピレーションを得て生まれた

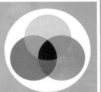

彼女は色彩理論を学んだ

彼女の日食写真は月の丸く暗い影のうしろにある太陽の明るい光輪を捉えている

「デザインするためにはその瞬間を楽しんでいなくてはいけません。もしそうでなければ、何も作ることができないでしょう」
——ポーラ・シェア

ポーラ・シェア

グラフィックデザイナー (1948-)

彼女の
アルバム・
ジャケットは
4回グラミー賞に
ノミネート
されている

彼女は巨大な
インフォグラフィック
絵画を制作する

彼女の
地図シリーズは
郵便番号や
人口といった
情報がぎっしりの
アメリカ合衆国
地図からなる

ポーラ・シェアは1948年、アメリカ合衆国ワシントンDCで生まれました。彼女は高校時代、周囲になじめませんでしたが、絵を描いているとしあわせで、アーティストとしてなら自分も仲間の一員だと感じられると悟りました。彼女はタイラー美術学校に入学し、タイポグラフィ（文字を用いた視覚表現）の技術に出会いました。同校のグラフィックデザイン課程で、言葉が読まれる前からその雰囲気を定めることができるフォント（書体）の力について、そしてそれぞれの文字の形状——線の太さ、縦横比、セリフ体か否か、かたち——と歴史上の特定の場所および時間がいかに結びついているかについて学びました。「文字には精神があります。文字は単なる機能を果たすだけの機械的で整然としたものであるとは限りません。文字は力を注ぐべきすばらしいものにもなり得るのです」とポーラが言う通りです。1970年、ポーラは美術の学士号を取ってタイラーを卒業し、1972年にCBSレコードでアルバムジャケットをデザインする仕事に就きました。彼女は10年間で150枚以上のアルバムジャケットをデザインし、その多くで表現豊かなタイポグラフィを見せています。▼1984年、彼女はコッペル＆シェア・デザイン事務所を共同設立し、1991年にはペンタグラムに入社しました。ポーラは自分のそれまでの最高傑作がデザイン作業を「楽しんで」いた際に生まれてきていることに気づきました。1994年、彼女はニューヨークのパブリック・シアターのコンサルタントの仕事をはじめました。路上のグラフィティや街そのものから刺激を受け、心から楽しみながら、ポーラはさまざまな太さの文字を組み合わせてこの劇場のロゴを制作しました。翌年には、公演『ノイズをよこせ、ファンクをよこせ』の宣伝キャンペーンとポスターを手掛けました。ポーラは20年以上にわたってここの公演の宣伝美術を作り続けました。この劇場のための彼女のデザインは、ニューヨークの街を織り成す環境の一部となったのです。▼彼女はブランディングの仕事と並行して、文字通り建物をタイポグラフィで包むような環境デザインのプロジェクトをプロデュースしてきました。これらの巨大な文字や数字は、色や空間と戯れながら重要な情報を伝えているのです。▼ポーラ・シェアはデザインとファインアート、低級なものと高級なものを混ぜ合わせる仕事を手掛けてきました。ポーラは今日も顧客のために問題を解決し、また自分自身のためにアートを創り出しながら、働き、そして遊び続けています。

彼女の
アルバム・
ジャケットは

パブリック・
シアターは
その総合的
コーポレート
デザイン戦略に
よって
名誉ある
ビーコン賞を
受賞した

彼女は
MoMAや、
シティバンク、
コカコーラ、
マイクロソフト、
ティファニーなどの
企業のために
ロゴを
デザインしてきた

ABCDEFGHIJKLM

歴史上の忘れられた
人々についての
作品を制作

記憶についての油絵を
制作するのに古い写真から
引用したイメージを用いる

彼女の作風は「ウィーピング・
リアリズム」と呼ばれてきた

「つまるところ私は、主題から風変わりな"他者性"を取り除き、尊厳のある存在として示したいのです。大きなスケールの歴史画の神話的人物でもそうです。私は歴史的人物の下に隠れた神話的なポーズを、そして写真の下に隠れた絵画を探します」──劉虹

劉 虹(リウ・ホン)

画家・インスタレーションアーティスト(1948-)

全米
芸術基金の
奨学金を
2回
受け取っている

彼女の
「アメリカの移民」
シリーズは、
ドロシア・ラングが
撮影した
ダストボウルの
写真に
基づいている

カリフォルニア州
オークランドの
マイルス・
カレッジの
名誉教授であり、
1990年から
2014年まで
絵画を教えた

劉虹は1948年に中国で生まれました。その1年後に毛沢東の共産党が政権を握り、1966年には文化大革命と呼ばれる思想統制がはじまって、国内に西側諸国や非共産圏の影響が一切及ばないよう"粛清"がおこなわれました。その後10年の間に100万人以上の人々が、毛沢東と一致しない考えを明らかにしたために追放されたり、恣意的に投獄されたり、時には処刑すらされました。この間、政府は歴史を書き換えようとして、たくさんの歴史的な工芸品や建物を破壊しました。これらの出来事は、のちに「歴史がどのように展開していくのか、そして勝者によって歴史がどのように書かれていくのか」に目を向ける作品を作ることになる劉虹に大きな影響を与えました。▼劉虹は文化大革命の再教育制度で小さな村に派遣され、水田と麦畑で4年にわたって働きました。空いた時間には地元の農業従事者たちの写真を撮ったりスケッチをしたりしました。1972年に学校が再開されると、彼女は北京師範大学で美術を学び、社会主義リアリズムの様式で絵を描く訓練を受けました。1981年、彼女は中央美術大学で壁画の修士号を取得し、そこで作成したポートフォリオでカリフォルニア大学サンディエゴ校の大学院に合格しました。1984年、劉虹は現金わずか20ドルとスーツケース2つを持ってアメリカ合衆国に渡りました。▼1991年、劉虹は中国に里帰りし、子どもの大道芸人、農業従事者、農家の人々、女性労働者、難民などを撮影した古い写真を発見しました。劉虹はこれらの写真をもとにした絵画を描きはじめました。彼女はこうしたテーマを追求した絵画を何十点も描いており、その中に「仕事にて」シリーズがあります。彼女の絵画は、「イメージを保護するのと同時に破壊し」、「遠い記憶の感触を与える」狙いで、表面をしたたり落ちる(ウィーピング)絵の具と亜麻仁油で覆われています。2015年には、劉虹はカリフォルニア州のオークランド美術館で「亡霊を召喚する」と題した回顧展を開催しました。それを鑑賞した『ウォール・ストリート・ジャーナル』紙の評論家は、彼女を「アメリカ合衆国で最も偉大な中国人画家」と呼びました。劉虹は現在もなお、故郷を追われ、忘れ去られた人々の写真からインスピレーションを受け取り続けています。彼女の作品は、記憶はいかにして私たちが共有する歴史をかたちづくっているのかを、見る者に考えさせるのです。

彼女は過去に
撮影された
自分の写真も
利用する。
たとえば自画像を
描いて切り抜いた
「アヴァンギャルド」
(1993)と
呼ばれる作品

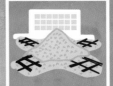

線路の上に
20万個の
フォーチュン
クッキーが
積み上げられた
「ジン・ジン・シャン」
(古の金の山、1994)
のような
インスタレーション
作品も
制作してきた

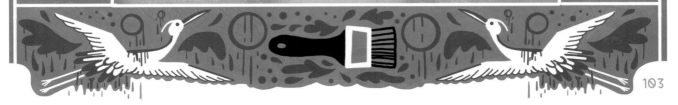

21世紀の最重要建築家の
ひとりとみなされている

2004年、女性建築家で
初めてプリッカー賞を
受賞した

2010年および2011年に
王立英国建築家協会の
スターリング賞を受賞

「360°あるのですから、ひとつの角度だけにこだわり続ける必要はないでしょう」——ザハ・ハディド

ザハ・ハディド

建築家(1950-2016)

ザハ・ハディドは1950年、イラクのバグダッドで生まれました。父親はイラクの世俗主義と民主主義のために闘った革新派の政党の指導者でした。彼女が子どもだった頃、バグダッドは多様性のある国際都市でした。ザハはフランス語を話すカトリック系の私立学校に通いました。1972年にはロンドンに渡り、建築家協会附属建築学校で学びました。卒業後はロッテルダムのメトロポリタン建築事務所で働き、3年後にはロンドンで自分の事務所を設立しました。彼女はよく自分の建築の設計案を絵に描いていましたが、それは現実の空間で実際に建てるにはあまりにも野心的で、ギザギザしていて、前衛的すぎると多くの人に思われていました。しかし、ザハは時代を先取りしていただけだったのです。▼新しいコンピュータ・プログラムの助けを借りて、ザハはついに彼女の"実現不可能な"コンセプトを、実際に建てることができるようになりました。1994年にはドイツの小さな消防署が建設され、ザハの案が初めて実現しました。ザハはどんな小さな仕事でも芸術作品にしてみせました。彼女がシンシナティのローゼンタール現代美術センターの建設を依頼された際、多くの人はこれを比較的小さな仕事だと考えたことでしょう。しかしザハが2003年にこれを完成させた時、『ニューヨーク・タイムズ』は、「冷戦終結後に完成した中で最も重要なアメリカの建物」と評しました。▼建築事務所は従業員25人でも大きな会社とみなされますが、ザハは自身の事務所を従業員400人の規模にまで拡大しました！ 彼女は予想外のかたちに捻れたり曲がったりする流動的な現代的空間を創り出すことで有名になりました。2004年には、女性として初めてプリツカー賞を受賞しました。俗に建築のノーベル賞と呼ばれている賞です。彼女の事務所は、スペインのサラゴサにあるブリッジパビリオン（2005-08）、中国の広州オペラハウス（2003-10）、アゼルバイジャンのバクーにあるヘイダル・アリエフセンター（2007-12）など、世界のあちこちの建築物を手掛けました。彼女はローマの国立21世紀美術館（MAXXI、1998-2010）で2010年のスターリング賞を受賞しました。▼2016年、マイアミのスコーピオン・タワーと呼ばれる超高層ビルの建設を監督していた時に、ザハは病気を患って65歳でこの世を去りました。今日、彼女は歴史上で最も影響力のある建築家のひとりとして記憶されており、彼女の設計案は世界中で建設され続けています。

2002年に大英帝国勲章（くんしょう）コマンダーを授与され、2012年にはデイムの称号を与えられた

2012年のロンドン・オリンピックのためにアクアティックス・センターを設計した

彼女のビジネスパートナー、パトリック・シューマッハは、コンピュータ・プログラムを導入して彼女の大胆なアイデアを現実にしようとザハに勧めた

ザハ・ハディド・ビルディングとも呼ばれるニューヨーク市の520西28番通りの集合住宅など、ザハが設計した建物の多くが彼女の死後に竣工している

建築業界の性差別について尋ねられた時、彼女はこう答えた

女性を避ける風潮はいまだに存在しています。しかし状況はずいぶん変わってきました。30年前、人々は女性が建物を作るのは無理だと考えていたのです。そうした考えは消え去りました

落ちていたり捨てられていたりした物からアートを創り出している

環境、社会、文化にまつわる問題に光を当てるために自分の作品を使っている

「私の狙いは、素材を心に抱くイメージに翻訳して、自分たちが環境の一部であり、自分はより大きな全体のかけらなのだと考えるよう人々を促すことです」——チャカイア・ブッカー

チャカイア・ブッカー

彫刻家・インスタレーションアーティスト（1953-）

チャカイア・ブッカーの大きな彫刻作品は、黒っぽく、独特の質感で、強い匂いがします。彼女は古いタイヤを切って、曲げて、削ったり折ったりすることで抽象的なかたちを作り出します。チャカイアの作品は、環境問題と産業革命、多様性、奴隷制の歴史など、さまざまな問題に触れています。彼女の作品はタイヤそのもの、すなわち自由へ向かう乗りものとしての車輪について語っている場合もあります。しかしチャカイアは作品を説明しすぎることを避け、鑑賞する人それぞれが自分にとって何を意味するのかを決めるよう任せています。▼チャカイアは1953年、アメリカ合衆国ニュージャージー州に生まれました。1976年に社会学の学位を取得してラトガース大学を卒業しました。ある日、友達から手作りの陶器をプレゼントされたチャカイアは「これだ」と思いました！　彼女はその質感と雑にかかった釉薬が気に入り、自分でも陶芸を学びはじめました。チャカイアは実験的な組み立てかたや絵付けを試し、割れた陶器の破片を重ねて彫刻を作ってみました。そのうち彼女は、拾った物や編んだ籠を使って大きな彫刻や身につけられるアート作品を作るようになりました。彫刻とファッションが融合したアートです。チャカイアは自分用の服やヘッドドレスのほとんどを自作し、スタジオに向かう前に楽しく「自分自身を彫刻」します。▼廃棄された素材をリサイクルする行為が彼女の作品の基盤となりました。食器の水切り籠、果物、骨、ボトルキャップなど、何でも使います。1980年代、ニューヨークに住んでいた頃に出会った廃車から回収したタイヤが彼女のお気に入りの素材になりました。▼1993年、チャカイアはシティ・カレッジ・オブ・ニューヨークで美術の修士号を取得しました。1996年、彼女の作品「不快なラプンツェル」は、ホワイトハウスで開催された20世紀文化についての展示に出品されました。2000年にはホイットニー・ビエンナーレに「黒のエコー」（1997）と「緑でいるのはむずかしい」（2000）を出品。タイヤで作られたふたつの彫刻は、工業化社会に向かうにあたって私たちが犠牲にしてきたものを表現しています。2005年にはグッゲンハイム財団から奨学金を受け取りました。タイヤの彫刻はスミソニアン博物館で展示され、ニューヨークのメトロポリタン美術館をはじめ多くの美術館に収蔵されています。彼女に引退の予定はなく、これからも大好きな素材である拾ったタイヤを使ってアートを作り続けるつもりです。

国立
女性美術館と
ストーム・キング・
アート・センターで
個展を
開催した

チャカイアは
叔母、祖母、
姉妹たちが
自分たちが着る
衣服を縫うのを
見て育った

新しい素材に
取り組み
はじめるたびに、
新しく身に
付けられる
アート作品を作る

毎日
太極拳を
している

「責任転嫁」
（2008）、
「テイクアウト」
（2008）、
「変身する者」
（2012）
など、
大きな野外公共
彫刻を
制作してきた

2010年、西沢立衛と共に
プリツカー賞を受賞

国際的に有名な建築事務所
SANAAの共同設立者

世界各地の建築物を
設計してきた

「私は、建築は現代社会に何かをもたらすことができると夢みています。建築とは空間で人々が出会う場なのです」
──妹島和世

妹島和世
建築家（1956-）

2010年、妹島はヴェネチア建築ビエンナーレ史上初の女性キュレーターとなった

SANAAはフランスのルーヴル美術館ランス別館を設計した

妹島と西沢はどちらも、それぞれの建築事務所で小規模プロジェクトを手掛けている

妹島和世は軽やかな雰囲気の建物を作ります。太陽の光が差し込む大きな窓、幾何学的なかたち、流動的なオープンスペースなどからなる彼女の建築物は、外側と内側を完全に切り分けはしないのです。彼女は反射する金属素材や大理石やガラスで作られた白い空間で知られています。彼女の建築は、人々が探索したり、そこに座って自然を眺めたり、新しい友人に出会ったりするために作られています。妹島は、建築とは単に立派で目立つランドマークを建てるだけにとどまらず、人と人とがつながる場所を生み出すことであり、人間の体験こそが重要であると信じています。彼女は、建物は実際に人々が使うようになるまでは完成していないとすら考えているのです。▼妹島は1956年、日本の茨城県に生まれました。1981年に日本女子大学で建築学の修士号を取得し、著名な建築家の伊藤豊雄に師事しました。1987年、東京で妹島和代建築設計事務所を設立。1992年には、熊本の再春館製薬女子寮（1990-91）の設計で日本建築家協会新人賞を受賞しました。この建物は妹島らしい明るさが特徴で、光あふれる白い空間と、半分屋外のような大きな共有スペースがあり、そこで社員たちがのんびり過ごしたり勉強したりできるのです。妹島の事業は拡大し、1995年には建築家の西沢立衛と共同で「セジマ・アンド・ニシザワ・アンド・アソシエイツ（SANAA）」を設立。より大規模で複雑なプロジェクトに取り組めるようになりました。▼はじめのうち、SANAAが手掛ける仕事はほとんどが日本国内の建物でした。彼女たちは長野県の小笠原資料館（1995-99）や金沢21世紀美術館（1999-2004）などを設計しました。これらは来館者が施設内を自由に歩いて自分の道筋を作ることができるような空間になっていました。2000年代初頭、妹島と西沢は海外でも大きな仕事を任されるようになり、ドイツのツォルフェアアイン・スクール（2003-06）の立方体のデザインは強烈な印象を残しました。その後も、左右非対称の構造になっているニューヨークのニューミュージアム（2003-07）や、うねるようなスイスのロレックス・ラーニングセンター（2004-10）など、ひと目でわかるランドマークを次々に設計していきました。▼2010年には、妹島と西沢は建築のノーベル賞のようにみなされているプリツカー賞を共同で受賞しました。SANAAは国際的に超一流の建築事務所のひとつとして活躍を続けています。

妹島はプリンストン大学、ローザンヌ工科大学、多摩美術大学、慶應義塾大学で教えてきた

SANAAによるニューミュージアムは、周りの建物との釣り合いから引き出された形の6つの箱が積まれた左右非対称の構造だ

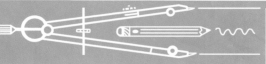

映画と写真を政治的な問題とフェミニズムについて語るために使っている

『男のいない女たち』『ラル・クルスームを探して』などの映画を監督

彼女の写真とビデオ作品は、ホイットニー美術館やグッゲンハイム美術館をはじめ、国際的に評価の高い数多くの美術館で展示されてきた

「（アーティストは）触発し、挑発し、動員し、人々に希望をもたらすためにそこにいるのです。私たちは人々のレポーターであり、外の世界とのコミュニケーションを図る者です。アートは私たちの武器です。文化は抵抗のひとつのかたちなのです」
——シリン・ネシャット

シリン・ネシャット

写真家・映画監督（1957-）

シリン・ネシャットは1957年、イランのガズヴィーンの「子どもをあたたかく育てるイスラム教徒の家庭環境」に生まれました。当時のイランは世俗的な国でした。彼女は1974年、17歳の時にカリフォルニア大学バークレー校で美術の学位を取るためにアメリカ合衆国に渡りました。イランでは1979年、彼女がアメリカにいたあいだにイスラム革命が起こりました。それまでのペルシア帝国の君主制が倒され、厳格な宗教法をもって統治されるイスラム共和制に代わりました。1983年には女性が手と足のくるぶしから下と顔以外の部分の肌を見せることが違法とされました。その頃、シリンはニューヨークに引っ越し、非営利団体ストアフロント・フォー・アート・アンド・アーキテクチャーで働いていました。1990年にイランに戻った彼女は、変わり果てた故郷の国に衝撃を受けました。彼女はイランの女性たちの強さと忍耐力に触発され、イランですべての女性が法律で着用を義務づけられているベールの一種、チャードルを着用した自分の姿を写真に撮りはじめました。これが彼女の「アッラーの女たち」シリーズ（1993-97）のはじまりでした。このシリーズでは、ベールをかぶった女性のイメージと、公の場で見せることが許されている体の部位に書かれた宗教的な言葉が組み合わせられています。▼イラン暮らしが長くなるにつれ、彼女の作品はますます政治的なものになっていきましたが、イラン政府に批判的でいることには、投獄され処刑される危険も伴います。シリンは身の安全を守るため、1996年にイランを離れました。彼女は亡命中のアーティストとして活動をはじめました。彼女はイランで作品を作ることはできませんが、イランの人々の物語を伝え続けています。彼女は中東の人々にまつわる否定的な固定観念と闘いながら、同時にイラン政府の圧制についても語ることができるような作品を作ろうとしています。シリンは常に「それぞれに異なる根拠にもとづく、ふたつの闘いに挑んでいる」のです。▼シリンは、海外勢力を後ろ盾にしたクーデターが起こった1953年のイランが舞台の映画、『男のいない女たち』（2009）を6年かけて制作しました。イランという国自体が外国の介入からの自由と民主化を求めて抵抗している状況のもとで、抑圧からの自由を探し求める4人の女性たちの物語です。現在、シリンはニューヨークを拠点に世界中を旅しながら監督として映画を撮り続けています。彼女にとってアートは強力な政治的メッセージを伝える手段なのです。

映画『男のいない女たち』は、イランで発禁にされ、5年を獄中で過ごすことになったシャーナッシュ・パーシパーの小説が原作

1997年、2画面のビデオ・インスタレーション「荒れ狂う」が第48回ヴェネチア・ビエンナーレ国際賞を受賞

有名なエジプトの歌手についての映画『ウム・クルスームを探して』（2017）を監督

シリンは『男のいない女たち』で第66回ヴェネチア国際映画祭の銀獅子賞（最優秀監督賞）を受賞した

ナイジェリアの人々を祝福する
アートを創り出す

環境問題への政治的
意識向上を推進

鋼鉄を溶接して入り組んだ
彫刻作品を制作

「自分は声をあげることができると知ることが政治的だというなら、私はこれまで常に政治的でしたし、生まれつき政治的だと思います」——ソカリ・ダグラス・キャンプ

ソカリ・ダグラス・キャンプ

彫刻家（1958-）

西洋の
古典絵画を
参照しつつも
民族衣装を着た
ナイジェリアの
人物を
表現した
「盲目の愛と気品」
（2016）
のような作品を
作っている

「私は石油汚染
で死につつある
ニジェール・デルタ
地帯がいつか
回復されることを
夢みています」
ソカリ・ダグラス・
キャンプ

彫刻家のソカリ・ダグラス・キャンプは、鋼鉄を使った作品制作が大好きです。ソカリはこれまで溶接の技術でもって、金属を繊細な花や模様のついた布や踊る女性、そして実物大のバスにも変身させてきました。彼女はこの丈夫な素材で、美しく恒久不変のアート作品を作っています。▼ソカリは1958年、ナイジェリアのブグマで生まれました。彼女は芸術に通じた家族を持つ人類学者の義兄に育てられました。ソカリに初めて絵具セットを与えたのは義兄でした。彼女は8歳でイギリスの寄宿学校に通いはじめました。その後、ロンドンのセントラル・スクール・オブ・アート・アンド・デザインに進み、1986年にロイヤル・カレッジ・オブ・アートで修士号を取得しました。それからナイジェリアに戻り、建築家アラン・キャンプと出会って結婚しました。▼ソカリの彫刻作品は、彼女がイギリスで過ごした時間と、ナイジェリアの人々の強さ、ファッション、精神の両方に刺激を受けて生まれました。彼女はよく、装飾的な模様と明るい色彩が特徴のナイジェリアの民族衣装に身を包んだ人物像を作りますが、これらはすべて金属製です。彼女はこれまでに世界中で展覧会を開催してきました。▼2012年には、奴隷制度の廃止を記念した彫刻「いまや全世界がより豊か」を制作しました。彼女は元奴隷だったウィリアム・プレスコットが1937年に記した言葉、「彼らは我々が売られたことは覚えているだろうが、強かったことは覚えていないだろう。彼らは我々が買われたことは覚えているが、勇敢だったことは覚えていないだろう」に触発されて、6体の彫刻を制作しました。それぞれが異なる時代の服装を身に着け、奴隷解放の前と後の歴史を表現しています。この力強い作品は、ロンドンの下院をはじめさまざまな場所で展示されてきました。またソカリは、地球を守る必要性についても作品を通じて語っており、とりわけナイジェリアのニジェール・デルタ地帯の環境汚染に関心を集めようとしています。そのためにソカリは、「グリーンリーフ・バレル」（2014）など、ドラム缶を再利用した作品をいくつも制作してきました。▼今日もソカリはロンドンの自宅スタジオで、片手に溶接トーチ、片手に金属を持って、彼女にとって大切な問題についての美しい作品を生み出していることでしょう。

「バトル・バス：
ケン・サロ＝ウィワの
生ける記念碑」
（2006）は
高名な
環境活動家に
ちなんで
名付けられた
実物大の
バスの彫刻

彼女の作品は
スミソニアン
博物館、
東京の
世田谷美術館、
大英博物館に
収蔵されている

彼女の作品は歴史、科学、公民権、環境保護を重視している

2009年、芸術の分野におけるアメリカ合衆国最高の栄誉とされる国民芸術勲章を授与された

ヴェトナム戦没者慰霊碑、アラバマ州の公民権運動記念碑、イェール大学の女たちのテーブルをデザインした

「自分自身を取り巻く環境についての別の見方を人々に提供する。それが私にとってのアートです」──マヤ・リン

マヤ・リン

建築家・彫刻家・デザイナー（1959-）

2016年、
アメリカ合衆国で
民間人に贈られる
最高位の勲章
（くんしょう）、
大統領自由勲章を
授与された

ゼロがたくさん

イェール大学の
女たちの
テーブルは、
同校が
1701年に
創立して以来、
毎年の女子学生の
数をリストに
している。
当初は
女性の入学を
認めていなかった
ため、
ゼロが何年も
続いている

マヤ・リンは1959年、アメリカ合衆国のオハイオ州アセンズに生まれました。彼女はイェール大学で建築を学びました。1981年、ワシントンDCのヴェトナム戦争戦没者慰霊碑のデザインが一般から公募されました。ヴェトナム戦争では何十万人もの青年たちが海外で戦うために徴兵され、アメリカ合衆国の人々のあいだで不評を買っていました。戦争は1975年、アメリカがヴェトナムから撤退し、敗北を喫して終結しました。マヤはシンプルなV字型の、光を反射する黒い石の壁のデザインを出品しました。壁には戦争に倒れた兵士たちの名前が刻まれています。彼女は訪問する人がそれぞれ個人的なやりかたで戦争について考え、追悼できる空間を創り出したかったのです。当時21歳でまだ大学生だったマヤは、このコンペで見事優勝しました！▼優勝作品をデザインしたのがマヤだと発表されると、世間は大騒ぎになりました。彼女がアジア系だということで、政治家やマスコミから人種差別的な誹謗中傷を受けたのです。一部の政治家はもっと伝統的な記念碑がいいと言って、彼女のデザインを批判しました。彼らは記念碑を白く塗り、その上に高さおよそ2.5メートルの兵士像と国旗を置くことを提案しました。マヤは国会と記者会見で自分の案を擁護し、結局は彼女のデザイン通りの壁が建設されました。1982年以来、何百万人もの人々が、亡くなった人々を追悼し記憶するためにこの記念碑を訪れています。彼女の記念碑は現在では広く愛されているのです。▼ヴェトナム戦争戦没者慰霊碑は、マヤの活躍のはじまりに過ぎませんでした。彼女はオハイオ州での子ども時代に見たアメリカ先住民の古墳に触発された彫刻を制作しました。彼女の「波動場」シリーズは、風景をまるで海の波のように表現しています。ウェーバー・ハウス（1991-93）やラングストン・ヒューズ図書館（1999）など、彼女の建築の多くは周囲の風景から導き出されています。マヤはすべての作品において、持続可能な素材を使用し、環境への悪影響を最小限に抑えることを約束しています。またマヤは、歴史上の複雑な出来事についての記念碑をたくさんデザインしてきました。彼女はアラバマ州の公民権記念碑（1989）やイェール大学の女たちのテーブル（1993）を制作しました。マヤ・リンの作品は、単なる建築でも彫刻でもありません。それら両方のはたらきをする力強い何かなのです。彼女はアートとデザインの新境地を拓き続けています。

彼女の
公民権記念碑は
マーティン・
ルーサー・
キングJr.の言葉
「正義が
水のように流れ、
公正が
大河となるまで…」
に由来する

「失われているもの」
と題された
記念碑は、
世界の絶滅した
動物や
植物と
生息環境の
破壊への
関心を促している

まだまだいる女性アーティストたち

エジプトのヘレナ
（紀元前4世紀後半）

戦闘を描いた絵画で知られる古代アレク
サンドリアの画家。

サヒーファ・バヌー
（17世紀前半）

ジャハーンギール朝の宮廷の姫であり、イ
ンドのムガル帝国時代の最も有名な細密
画家。

マリア・モントーヤ・マルティネス
（1887-1980）

プエブロ様式の陶芸で国際的に評価され
たネイティブ・アメリカンのアーティスト。

クロード・カーアン
（1894-1954）

さまざまな衣装を使ってジェンダー・アイデ
ンティティを追求した写真家であり作家。
過剰に女性的だったり男性的だったり、性
別不明だったりする装いで自分を撮影し、
社会のジェンダー規範に挑んだ。

リナ・ボー・バルディ
（1914-1992）

イタリア生まれのブラジル人モダニスト建
築家であり家具とジュエリーのデザイナー。
ブラジルで最も重要な建築家のひとり。

レオノーラ・キャリントン
（1917-2011）

イギリス生まれのメキシコ人アーティスト、
画家、作家。シュールレアリスム運動に参
加し、1970年代メキシコの女性解放運動
を立ち上げた。

ダイアン・アーバス
（1923-1971）

はみ出し者や社会の周縁に生きる人々を撮影したモノクロの肖像写真で知られるアメリカ合衆国の写真家。

ヘレン・フランケンサーラー
（1928-2011）

アメリカ合衆国の抽象表現主義アーティスト。カラーフィールド・ペインティングの代表的な画家。2001年に国民芸術勲章を授与された。

デボラ・イヴリン・サスマン
（1931-2014）

グラフィックデザイナー。グラフィックアートを建築と公共空間に取り入れた環境デザインの先駆者。

バーバラ・クルーガー
（1945-）

強烈な黒・白・赤のフォトコラージュとフェミニズムのメッセージで知られるアメリカ合衆国のコンセプチュアル・アーティスト。

森俊子
（1951-）

日本の建築家。ニューヨークを拠点にトシコ・モリ・アーキテクト、PLLC、ヴィジョン・アークを主宰。彼女の現代的かつ革新的で環境に優しいデザインはアメリカ建築協会賞を何度も受賞している。

ルバイナ・ヒミッド
（1954-）

イギリスの現代美術アーティスト、キュレーター。2010年6月、「黒人女性アートへの貢献」により大英帝国勲章を授与された。

スーザン・ケア
（1954-）

1980年代に最初のアップル・マッキントッシュ・コンピュータのアイコンを作り、マイクロソフトとIBM関係のデザインも手掛けたグラフィックデザイナー。

リー・シュヴァリエ
（1961-）

中国生まれのフランス人画家。水墨画に加え、チェロと劇的な照明を使って黙想を促す空間を作り出すインスタレーション・アーティストでもある。

ワンゲチ・ムトゥ
（1972-）

ケニア生まれで国際的に高く評価されているアーティスト。アフロフューチャリズムをテーマにした絵画、彫刻、映画、パフォーマンス作品を制作。

おわりに

　あなたはこの本で、記念碑を作った彫刻家や都市の風景を変えた建築家、魂をむき出しにした画家たちについて読んできました。アートとは、いかに自分を表現するかだけではなく、いかに私たちの世界の見方を選ぶかということでもあります。人間が作ったものを見る時、たとえそれが広告だろうと油絵だろうと、アーティストの意図や作品が担う目的、またそれはどんな物語を伝えているのかを、自分の心に問いかけ、考えてみてください。

　これまでの歴史を通じて、女性アーティストたちは新たな領域を開拓し、重要な作品を制作し、世界に刺激を与えてきました。これらのアーティストの多くは、自分の作品が人目に触れ、真剣に受け取られるまでに、性差別、階級差別、人種差別をはじめとする数々の障壁と闘ってきました。いま私たちはこうした女性たちを、美術史のうえで然るべき位置に含め、彼女たちの貢献を世に知らしめることができます。さあ、私たちも創作を続けることで、彼女たちの偉業を讃えましょう。あなたが自由な想像の世界で見た何かを作り上げましょう！　新しいものを作り出して自分を表現しましょう！　あなたのアイデアを世界と分かち合いましょう！　どんどん外に出ていって、あなた自身の傑作を作るのです！

▼▼▼ 参考資料 ▼▼▼

この本のための調査はとても楽しいものでした。私はあらゆる種類の情報源を利用しました。たとえばギャラリーの記録、インタビュー、講義録、博物館資料、本、映画、インターネット。もしあなたがこれらの女性たちについてもっと知りたくなったら（もちろんそのはず）、こちらの参考資料をどうぞ――これらは出発点にうってつけです。

私の本で紹介した女性それぞれについてもっと詳細な情報源が知りたい場合は、私のウェブサイトまで。

rachelignotofskydesign.com/women-in-art-resources

本

Brown, Rebecca M., and Deborah S. Hutton. *A Companion to Asian Art and Architecture (Blackwell Companions to Art History)*. Chichester, UK: Wiley-Blackwell, 2015.

Chang, Kang-i Sun, and Haun Saussy. *Women Writers of Traditional China: An Anthology of Poetry and Criticism*, Stanford, CA: Stanford University Press, 2000.

Ghez, Didier. *They Drew As They Pleased, vol. 4, The Hidden Art of Disney's Mid-Century Era: The 1950s and 1960s*. San Francisco: Chronicle Books, 2018.

Heller, Nancy G. *Women Artists: An Illustrated History*. New York: Abbeville Press, 2003.

Hong Lee, Lily Xiao, Clara Lau, and A. D. Stefanowska, eds. *Biographical Dictionary of Chinese Women*, vol. 1, *The Qing Period, 1644-1911*. Abingdon, UK: Routledge, 2015.

Kleiner, Fred S. *Gardner's Art Through the Ages: A Global History*, 14th ed. Boston: Cengage Learning, 2013.

—. *Gardner's Art Through the Ages: Backpack Edition, Book F: Non-Western Art Since 1300*, 15th ed. Boston: Cengage Learning, 2015.

Lightman, Marjorie, and Benjamin Lightman. *A to Z of Ancient Greek and Roman Women*. New York: Facts on File, 2007.

Mathews, Nancy Mowll. *Mary Cassatt: A Life*. New York: Villard Books, 1994.

Penrose, Antony. *The Lives of Lee Miller*. New York: Thames & Hudson, 1995.（松本淳訳『リー・ミラー：自分を愛したヴィーナス』PARCO出版局、1989年）

Polan, Brenda, and Roger Tredre. *The Great Fashion Designers*. Oxford, UK: Berg Publishers, 2009.

Seaman, Donna. *Identity Unknown: Rediscovering Seven American Women Artists*, New York: Bloomsbury USA, 2017.

Stokes, Simon. *Art and Copyright*. Oxford, UK: Hart Publishing, 2012.

Strickland, Carol. *The Annotated Mona Lisa: A Crash Course in Art History from Prehistoric to the Present (Annotated Series)*, 3rd ed. Kansas City, MO: Andrews McMeel Publishing, 2018.

Weidemann, Christiane. *50 Women Artists You Should Know*. New York: Prestel, 2017.

統計

Anagnos, Christine, Veronica Treviño, Zannie Giraud Voss, and Alison D Wade. *The Ongoing Gender Gap in Art Museum Directorships*. Association of Art Museum Directors. aamd.org/ sites/default/files/ document/AAMD%20NCAR%20Gender%20Gap%202017.pdf (accessed December 18, 2018).

Do women have to be naked to get into the Met. Museum? Guerrilla Girls. guerrillagirls.com/ naked-through-the-ages (accessed December 18, 2018).

ウェブサイト

アメリカ建築家協会　www.aia.org/

アメリカ建築家協会カリフォルニア支部
www.aiacc.org/

アメリカ・グラフィックアート協会　aiga.org

ザ・ブロード　thebroad.org

ブルックリン美術館　brooklynmuseum.org

イームズ　eamesoffice.com

ブリタニカ百科事典　britannica.com

ジョージア・オキーフ美術館
okeeffemuseum.org

グッゲンハイム美術館・財団
guggenheim.org

アメリカ・インダストリアルデザイナー協会
idsa.org

メーカーズ　www.makers.com

メトロポリタン美術館　metmuseum.org

ニューヨーク近代美術館（MoMA）　moma.org

国立アメリカ歴史博物館/スミソニアン協会
americanhistory.si.edu

国立女性美術館 nmwa.org

ナショナル・ヴィジョナリー・リーダーシップ・プロジェクト
visionaryproject.org

サンフランシスコ近代美術館　sfmoma.org

スミソニアン・アメリカ美術館　americanart.si.edu

テート　tate.org.uk

ヴィクトリア＆アルバート博物館　vam.ac.uk

映画・ビデオ・講義

Abstract: The Art of Design "Paula Scher: Graphic Design." Directed by Richard Press; starred Paula Scher. Netflix, February 10, 2017.（『アート・オブ・デザイン』「ポーラ・シェア：グラフィックデザイナー」リチャード・プレス監督、ポーラ・シェア出演、ネットフリックス、2017年2月10日）

American Masters: "Dorothea Lange: Grab a Hunk of Lightning." Directed and written by Dyanna Taylor. PBS, August 29, 2014.

American Masters: "Eames: The Architect & The Painter." Produced and written by Jason Cohn. PBS, November 11, 2011.

Art in Exile. TEDWomen talk by Shirin Neshat, 2010. ted.com/talks/shirin_neshat_art_in_ exile?language=en, 2010.

Good Morning America: Interview with Loïs Mailou Jones. ABC News, 1995.

Great design is serious, not solemn. TED talk by Paula Scher, 2008. ted.com/talks/paula_scher_ gets_ serious?language=en, 2008.

Maya Lin: A Strong Clear Vision. Directed and written by Freida Lee Mock; starred Maya Lin. Ocean Releasing, October 1994.

No Colour Bar, Black British Art in Action. Artist's talk by Sokari Douglas Camp. youtube.com/ watch?v=_yr1fztwrnU, November 26, 2017.

Tamara de Lempicka, Worldly Deco Diva. Directed by Helen Nixon; presented by Andrew Graham-Dixon. BBC Four, 2004.

Yayoi Kusama, Obsessed with Polka Dots.Tate video. youtube.com/watch?v=rRZR3nsiIeA, February 6, 2012.

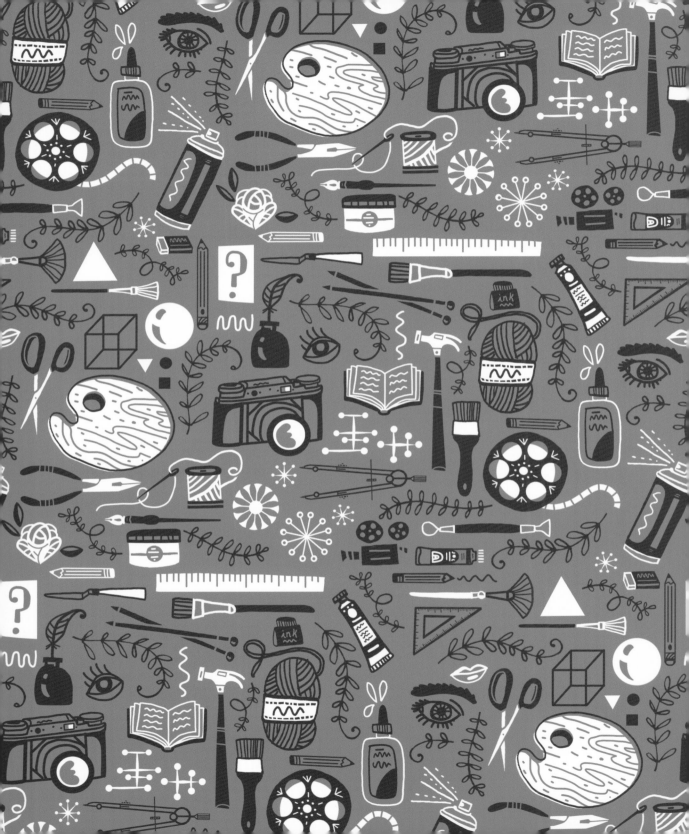

感謝のことば

　この本はテン・スピード・プレスのすばらしいチームのおかげで実現しました。私のオールスター編集者、キャトリン・ケッチャムに感謝します。彼女のサポート、見事な提案、フェミニズムへの情熱のおかげで、この女性史シリーズが出版できました。校正担当のドロレス・ヨークと、テン・スピードの編集長であるダグ・オーガンは、私が綴りや文法の間違いで恥をかかないようにしてくれました。デザイナーのクロエ・ローリンズにも、その才能あふれる組版技術に巨大な感謝を。またダン・マイヤーズとテン・スピードの制作チームも、この本がこんなに素敵に見えるようにしてくれました。この本が現実世界のあなたに届くよう奮闘してくれた営業・宣伝チームのウィンディ・ドレスティン、ダニエル・ワイキー、ローレン・クレッシュマーにも大声で感謝します。私の作品の副次権管理を担当するクレア・ポスナーにも感謝します。彼女の激務のおかげで、私の本は世界中で翻訳・販売されているのです。

　文字通り全世界で最高の文芸エージェント、モニカ・オドムに感謝します。彼女は私が出版の夢を叶えるのをひとつひとつ助けてくれました。

　イグノトフスキー家の家族、知識を与えてくれるアディティア・ヴォレティ、そして私がこの本についてノンストップで語るのに耳を傾けてくれた親愛なる友達みんなにも大きな感謝を。

　ファクトチェックに協力し、知識と提案をもたらし、私の食事を用意してくれた夫でビジネスパートナーのトーマス・メイソン4世にすべての愛を。彼は私の本の出版を実現し、私の人生を素敵にしてくれる、私の究極のチアリーダーです。

　最後に、私がアーティストになるにあたってインスピレーションを与えてくれた歴史上の女性たちみんなに巨大なありがとうを（あなたのことですよ、ジョージア・オキーフさん）。そしてデザインについて批評的に考える方法を私に教えてくれたタイラー美術学校のGAID（グラフィック・アンド・インタラクティヴ・デザイン）課程の教職員のみなさんにも、大きな感謝を捧げます。

レイチェル・イグノトフスキー

著者について

　レイチェル・イグノトフスキーは「ニューヨーク・タイムズ」ベストセラー作家にしてイラストレーター。うるわしのロサンジェルス在住。彼女（かのじょ）はニュージャージー州でまんがとおやつを健康的に摂取（せっしゅ）しながら育った。2011年にタイラー美術学校のグラフィックデザイン科を卒業。レイチェルはフリーランスのアーティストとして一日中絵を描（か）き、文章を綴（つづ）り、できる限りたくさん学ぼうと努めている。

　彼女は歴史と科学に創作意欲（そうさくいよく）を刺激（しげき）され、イラストレーションは学びをわくわくするものにできる強力なツールであると信じている。彼女は濃密（のうみつ）な情報を楽しくわかりやすいかたちで伝えることに情熱を注いでいる。レイチェルは自分の作品を使って、科学リテラシーとフェミニズムについてのメッセージを広げたいと願っている。

私（わたし）はいつも
文章や絵を
創作しています

私の最新作を
チェックしてね！

VISIT:
RACHEL IGNOTOFSKY DESIGN.COM

@RACHELIGNOTOFSKY

@IGNOTOFSKY

索引

〈訳者略歴〉
野中モモ

翻訳者・ライター。訳書にレイチェル・イグノトフスキー『歴史を変えた50人の女性アスリートたち』（創元社、2019年）、『世界を変えた50人の女性科学者たち』（創元社、2018年）、ダナ・ボイド『つながりっぱなしの日常を生きる ソーシャルメディアが若者にもたらしたもの』（草思社、2014年）など。
著書に『野中モモの「ZINE」小さなわたしのメディアを作る』（晶文社、2020年）、『デヴィッド・ボウイ 変幻するカルト・スター』（筑摩書房、2017年)がある。

WOMEN IN ART -50 Fearless Creatives Who Inspired The World
Copyright ©2019 by Rachel Ignotofsky
This translation published by arrangement with Ten Speed Press, an imprint of Random House, a division of Penguin Random House LLC through Japan UNI Agency, Inc., Tokyo

社会を変えた50人の女性アーティストたち

2021年4月20日　第1版第1刷　発行

著　者　　レイチェル・イグノトフスキー
訳　者　　野中モモ
発行者　　矢部敬一
発行所　　株式会社創元社
https://www.sogensha.co.jp/
本　　社　〒541-0047　大阪市中央区淡路町4-3-6
　　　　　　TEL. 06-6231-9010（代）　FAX. 06-6233-3111
東京支店　〒101-0051　東京都千代田区神田神保町1-2 田辺ビル
　　　　　　TEL. 03-6811-0662

装丁・組版　堀口努（underson）
印　刷　所　大日本印刷株式会社

Japanese translation©2021 NONAKA Momo, Printed in Japan
ISBN978-4-422-70143-1 C0070 NDC702
《検印廃止》落丁・乱丁の際はお取替えいたします。

本書の感想をお寄せください
投稿フォームはこちらから ▶▶▶▶

レイチェル・イグノトフスキーの本

世界を変えた50人の女性科学者たち

野中モモ〈訳〉
定価（本体1,800＋税）

歴史を変えた50人の女性アスリートたち

野中モモ〈訳〉
定価（本体1,800＋税）

プラネットアース
──イラストで学ぶ生態系のしくみ

山室真澄〈監訳〉、東辻千枝子〈訳〉
定価（本体3,000＋税）